KAREN ET MOI

Nathalie Skowronek

KAREN ET MOI

roman

arléa

16, rue de l'Odéon, 75006 Paris
www.arlea.fr

EAN 9782869599529
© Août 2011 – Arléa

Tout à perdre je me vois vivre

Paul Éluard

Les volumes s'accumulent sur la table de mon bureau. Des éditions courantes, des traductions. Je les classe en piles et corne des pages. Je prends des notes aussi. Dans le tas, il y a un essai en danois sur le père de Karen – je ne lis pas le danois mais il me semble ainsi me rapprocher d'elle –, quelques ouvrages illustrés, puis les romans, les contes et la correspondance. Appuyés contre la fenêtre, d'autres livres, mes compagnons de route, les *Mémoires d'Hadrien*, *Aurélien*, *L'Appel de la forêt*. Ils me servent de repères. J'ai ressorti depuis peu *Une saison en enfer*, un fac-similé daté du 19 octobre 1873, *L'Or* de Cendrars, pour le goût de l'ailleurs, et aussi *La Chèvre de monsieur Seguin* que je relis le soir, avec mes filles.

Cela fait longtemps que Karen est entrée dans ma vie. J'étais déjà familière de son aventure africaine, de Denys et de Bror, les hommes de sa vie, de son attachement aux animaux, et puis, il y a peu, j'ai ressenti un besoin impérieux de revenir vers elle. Moins pour elle que pour moi, à dire vrai. J'ai commandé sa correspondance sur un site de vente en ligne, j'étais pressée de la retrouver et la couverture du livre me plaisait :

elle me rappelait celle du *Marin de Gibraltar*, dans une de ses versions anciennes.

J'ai découvert Karen Blixen, sous une tente, au Kenya, j'avais onze ans, je voyageais avec mon frère et mes parents. À la lumière d'une lampe de poche, je lisais *La Ferme africaine* et elle c'était moi et moi j'étais elle. *Karen, my sister.* Comme elle, je venais d'un monde qui m'étouffait, petite fille choyée de la bonne société, pélican noir au milieu de demoiselles bien peignées, comme elle j'étais la moins préparée à faire face à cette force que je sentais rugir et qui me poussait vers l'ailleurs, loin, très loin de ce pour quoi j'avais été programmée (enfance sans histoire, études honorables, beau mariage). J'étais une écorchée vive, j'étais un sac de larmes. L'envie de bien faire et d'être aimée m'avait poussée à taire cette fureur qui bouillait en moi, une envie de crier quand on m'avait appris à sourire, tendre le cou pour que glisse le collier, ajouter du silence au silence, alors qu'au milieu de cette nature sauvage, parmi les lions, les gazelles, les girafes, je retrouvais ma nature intime et profonde : l'appel de la forêt m'avait saisie. Je rêvais d'être cette enfant qui chemine avec le lion de Kessel et je pleurais à gros sanglots pendant que Buck, le chien de Jack London, traversait le Grand Nord. Cette aspiration à la noblesse me grisait, j'étais passée de l'autre côté, j'avais percé le secret, poussé la porte. Ils m'avaient réveillée. Je me découvrais une nouvelle famille, imaginaire, des dizaines et dizaines d'aspirants à la Beauté. Je tendais l'oreille, j'ouvrais mon cœur, je devenais une des leurs.

« Une biographie pour la jeunesse. » C'est tout ce que je trouve à dire quand on s'inquiète de tout ce temps que je passe, enfermée dans mon bureau, qu'on me demande ce que j'écris et qui est cette femme au visage émacié de momie inca, dont j'ai collé la photographie sous l'écran de mon ordinateur.

Je travaille depuis des mois sur Karen Blixen. J'ai le projet d'écrire sa vie. L'idée s'est imposée alors que je m'enfonçais dans cette existence de jeune femme modèle qui ne me ressemble pas et que mes tentatives pour m'affirmer s'étaient soldées par de pénibles échecs : un roman inachevé, une solitude toujours plus grande, le sentiment de regarder passer sa vie.

Karen est morte onze ans avant ma naissance. J'aurais voulu qu'elle vienne me dire, qu'elle raconte à l'enfant que j'étais, comment faire avec cette sensation d'étrangeté qui m'éloignait des autres, ma peine et mon trésor. J'aurais voulu qu'elle me raconte, et qu'à mon tour je le raconte à mes filles. Dis-moi, Karen. Dis-moi comment tu as fait.

« J'avais une ferme en Afrique. Au pied des montagnes du Ngong », me répondait Karen. Je fermais les yeux et elle poursuivait son récit.

Toute sa vie, Karen aima raconter des histoires. C'était une formidable conteuse qui se préparait à devenir l'écrivain Karen Blixen. Cela lui prit beaucoup de temps. Elle eut à toucher le fond, mordre la poussière, ramper puis, délestée de ses protections et de ses artifices, elle trouva.

Karen a aimé sa ferme avec passion. Et avec elle, l'Afrique et ses habitants.

« Ici, je suis chez moi, disait-elle. Ici, je suis là où je me dois d'être. »

Ici, c'est au Kenya, qu'on appelait encore l'Afrique orientale britannique, un peu à l'écart de Nairobi, le quartier général des pionniers. Des colons venus d'Europe s'étaient installés à Voi, Tsavo, Ngong, autour du lac Victoria, attirés par les hautes plaines fertiles et la beauté des lieux. Ils y cultivaient du thé et du café, l'or du pays, ou chassaient les animaux du *Big Five*, les lions, les éléphants, les rhinocéros, les buffles, les léopards, ceux qu'on surnommait le *Royal Game*, le gibier royal. Les aventuriers évoluaient au milieu de paysages grandioses qui leur évoquaient les premiers jours de la Création. Tout leur semblait possible. Ils avaient la jeunesse, l'audace et l'avenir pour eux.

Ils vivaient dans un monde totalement différent de celui qu'ils avaient connu. Un monde où il n'était pas rare de retrouver des hommes, noirs ou blancs, dévorés par une bête féroce, un monde où chacun était ramené à sa vérité première.

Du temps où Karen Blixen vivait en Afrique, une lettre envoyée du Kenya mettait parfois jusqu'à trois mois pour arriver à son Danemark natal, si bien que, lorsque Karen écrivait qu'elle entendait tomber la pluie, trois mois plus tard, à l'ouverture de la lettre dans la maison familiale, la terre était déjà sèche et dure autour de la ferme.

Je l'accompagne partout maintenant. Je la suis de lettre en lettre. Je pleure avec elle les récoltes trop maigres, j'imagine de nouvelles plantations, j'affronte les créanciers, je me bats contre les éléments. Et quand il n'y a plus rien à faire, j'abandonne notre Afrique, je prends le bateau et débarque, meurtrie, à Marseille. Ensemble, la tête baissée, nous rentrons à Rungstedlund.

Karen méritait mieux que cette vie d'humiliations, mieux que cette rage qui l'assèche. Elle avait voulu le Sud, la lumière, le soleil. Elle avait rêvé l'Afrique, des milliers de kilomètres entre sa famille et elle. Partir pour découvrir d'autres univers. Dix-sept ans plus tard, retour à la case départ, Skagen, un bout de femme face à l'océan, à l'extrême nord de son pays natal. Karen est défaite. Si j'étais elle, je n'en pourrais plus de plier sous la tempête. Je suis elle et j'ai mal, et j'en crève.

J'ai été une petite fille solitaire et sauvage. Avide d'amour. Mes parents me regardaient comme un casse-tête ; je parlais peu, je restais souvent en retrait. J'aurais aimé qu'ils me racontent la vie de cette femme. J'appelais à l'aide, je cherchais par quel moyen me trouver. Karen m'a aidée. Elle était une force brisée qui résiste, un appel permanent à la poésie. J'écrivais des poèmes à l'âge où Karen noircissait ses carnets. Je me rêvais vétérinaire et princesse d'une arche de Noé quand Karen s'incarnait en dame africaine. Karen a accompagné mon enfance, puis mon adolescence ; elle est désormais celle en miroir de laquelle je me penche sur ma vie de femme. Nous parlons la même langue. Elle a mis des mots sur ma souffrance. Sur mes désirs, aussi. Elle m'ouvre le chemin, elle est mon guide. Karen, ma sœur Karen, ne vois-tu rien venir pour moi ?

Je t'imagine, Karen. Je prends appui contre le bord de ta fenêtre et te regarde écrire, seule à la table de travail de ton bureau danois. Personne n'ose te déranger, tu es ici mais tu es là-bas, et le soleil du Nord se couche bien avant toi. Je t'imagine te tournant vers Dusk, ton chien revenu d'Afrique, enfin un de ses descendants, somnolant dans un coin de la pièce, et je t'entends lui chuchoter : Et toi, Dusk, est-ce que tu te souviens ?

1

Beaucoup de ce qui fait Karen lui vient de son père, Wilhelm. Avant son mariage, le père de Karen a vécu en Amérique, Blanc au milieu des Indiens, dans une cabane en rondins d'une forêt du Wisconsin. Wilhelm n'a alors que très peu d'obligations familiales ou professionnelles. Sa famille est rattachée à la plus haute noblesse danoise – ils vivent du produit de leurs propriétés et habitent le château familial de Katholm, un domaine de mille deux cents hectares dans le Jütland –, si bien que le frère aîné de Wilhelm hérite des devoirs et responsabilités de la lignée, pendant que Wilhelm se destine sans grande conviction au métier des armes. Il est sous-officier, en 1864, dans la guerre qui oppose le Danemark à la Prusse, et rejoint l'armée française en 1870 pour combattre à nouveau, et sans succès, les Prussiens. Mais la vraie défaite de Wilhelm ne se joue pas sur un champ de bataille. Il est tombé amoureux de sa cousine, Agnes Frijs, laquelle lui est refusée par le père de la jeune femme qui ne voit en lui qu'un dangereux idéaliste. Agnes meurt, Wilhelm lâche son régiment et rentre à Katholm. Il ne se sent plus apte à suivre la voie que lui a préparée sa famille, ses aspirations sont ailleurs, ses talents aussi. Que va-t-il faire de sa vie ? Les premiers récits des grands explorateurs de l'Ouest se font entendre et, la mort dans l'âme, Wilhelm décide de partir pour deux ans en Amérique du Nord. Il y découvre les Sioux, les Pawnees et les Chippewas, lesquels s'affrontent dans des guerres de clans tout en luttant contre l'arrivée des chercheurs d'or. Malgré le tumulte, c'est une révélation. Wilhelm est depuis toujours un passionné de chasse : la vie qu'il mène en Amérique, loin du bruit du monde et de sa famille, le comble. Des amitiés se nouent. On l'accueille comme un membre de la tribu, au point que les Indiens lui donnent un surnom dans leur langue, privilège suprême, signe qu'ils le considèrent comme un des leurs. Pour eux, Wilhelm devient *Boganis,* noisette en français, la seule identité qu'il revendique. Vingt ans plus tard, c'est sous ce nom de plume qu'il signera ses *Lettres de chasse,* puis les articles qu'il publie régulièrement dans des journaux danois. Karen, ou Tanne, comme sa famille la surnomme, n'est pas encore née, bien sûr, mais une grande partie de son sort se scelle là, sur les berges des Grands Lacs.

Mes parents m'appelaient Épinglette parce que j'avais une silhouette très fine et des attitudes qui les piquaient. Je parlais peu, je n'étais jamais très engageante. J'avais l'impression d'être ailleurs, ou bien c'étaient eux qui n'étaient pas tout à fait présents. Chacun vivait dans sa bulle. Dans la leur, il y avait de l'animation et des rires, l'apparence d'une vie normale ; dans la mienne, il y avait des rêves et des mots. Je m'enfermais beaucoup dans ma chambre quand je n'étais pas au fond du jardin, dans la petite serre que j'entretenais, en train de lire. J'ai passé mon enfance et mon adolescence plongée dans un livre. J'en avais toujours un sous la main : dans mon cartable, sur ma table de chevet, dans la poche arrière de mon jean. À l'école j'étais celle qui passait son temps à lire. Cela sonnait un peu bizarre, mais je ne me sentais pas capable d'autre chose. Je n'arrivais pas à comprendre le monde autrement. D'une certaine manière, les livres faisaient écran entre les autres et moi. Je me cachais en même temps que je m'évadais. J'ai rejoint les montagnes suisses avec Heidi, l'Amérique avec Tom Sawyer, une île déserte avec Vendredi. Chaque lecture en amenait une autre. Je me suis enfoncée de plus en plus loin. J'avais envie de liberté, de soleil et de grand air.

Au contact des Indiens, Wilhelm apprend à chasser le daim et à pêcher. Il vit du commerce des peaux, à la manière d'un trappeur. Il semble heureux. Mais, après deux ans, Wilhelm rentre au Danemark : sa mère est malade. Et puis, son père le rappelle à l'ordre : Wilhelm a un rang à tenir, le spectre d'une vie de vieux garçon le menace, il est temps qu'il fonde une famille. D'accord, mais pas tout de suite. Wilhelm fait un détour par Istanbul et les Balkans, multiplie les conquêtes féminines et enfin revient chez lui. Il rencontre Ingeborg qu'il séduit par le récit de ses périples.

Ingeborg vient d'une richissime famille bourgeoise, elle est cultivée, intelligente, parle plusieurs langues. En elle, Wilhelm reconnaît un esprit libre, le seul capable de l'attacher. Il l'épouse l'année suivante au grand dam de sa belle-famille. « Qu'allons-nous faire d'un élément érotique parmi nous ? », se lamentent les Westenholz, pas plus heureux que jadis les Frijs, les parents d'Agnes. Le couple, lui, exulte. Les enfants naissent, trois filles et deux fils, dans la propriété que vient d'acheter Wilhelm à Rungsted, un village de pêcheurs en bordure de l'Øresund.

Wilhelm ne tient pas en place pour autant. Il multiplie les après-midi de chasse et les escapades en forêt. Il a toujours l'air de fuir quelque chose. Son tempérament est instable, il traverse des périodes d'abattement de plus en plus longues. Son isolement grandit aussi au fur et à mesure que se précisent ses idées progressistes, lesquelles ne plaisent que moyennement au milieu conservateur qui est le sien. Wilhelm prend notamment la défense des Indiens, condamne les abus de pouvoir des colons américains sur les terres où vivent des indigènes et s'engage dans un combat pour la préservation de la vie sauvage.

– Ne peux-tu vivre comme tout le monde ? avoir une vie normale parmi des gens normaux ? interroge Ingeborg.

Wilhelm n'est pas fait pour ça. Cette vie-là ne l'intéresse pas.

Et Ingeborg note : Exactement comme notre petite Tanne. Lui et elle sont pareils.

Entouré par la mer, le Danemark est composé de la péninsule du Jütland et d'un ensemble d'îles – plus de quatre cents – dont moins de cent sont habitées. Hormis une frontière avec l'Allemagne, ses limites sont maritimes. On compte près de sept mille trois cents kilomètres de côtes bordées de dunes que fouettent la mer du Nord et la Baltique.

À l'intérieur des terres, les forêts de hêtres et de pins jouxtent les lacs et la lande. Le pays est plat : son altitude moyenne est de trente mètres au-dessus du niveau de la mer et ses reliefs sont parmi les moins élevés au monde.

Le climat du Danemark est tempéré, les étés y sont doux et les hivers longs, l'ensoleillement faible. Il y pleut beaucoup. Au plus haut de l'été, la température de la mer ne dépasse pas les vingt degrés.

Le père et la fille se promènent régulièrement dans les bois de la maison familiale de Rungsted-lund, le bosquet de Rungsted, à trente kilomètres au nord de Copenhague. C'est une ancienne propriété agricole que la vigne vierge a presque entièrement recouverte. Elle est longue et basse, coincée entre les arbres à l'ouest et la mer à l'est.

Ils marchent des journées entières. Le père se confie à sa fille qui n'a pas dix ans. Il lui transmet son amour de la nature, sa soif de liberté, son besoin de solitude. Peut-être lui parle-t-il aussi de ce mal-être qui le poursuit ? Tanne ne comprend pas tout, bien sûr, car son père se lance parfois dans de longs monologues qui lui échappent, mais ils sont très complices. Ils observent les fleurs et les arbres. Wilhelm apprend à Karen à reconnaître le chant des oiseaux. À sa façon, il lui donne des clés pour comprendre le monde.

Ma famille disait de moi que j'étais timide. Je répétais à qui demandait de mes nouvelles que j'étais « humide », ce qui le plus souvent déclenchait des rires. Je ne savais comment les prendre. J'entendais parfois ma mère confesser que j'étais à ce point discrète qu'il lui arrivait de m'oublier dans le jardin ou dans ma chambre. Je me demandais si c'était normal et comment les choses se passaient ailleurs. Je parlais pourtant aux arbres et aux murs. Cela ne comblait pas le silence. On me trouvait étrange, je ne comprenais pas pourquoi. Je n'aimais pas aller jouer chez des amies, je n'aimais pas les recevoir chez moi, j'avais peur de les déranger ou qu'elles s'ennuient. J'étais une enfant poids plume, je marchais sur la pointe des pieds, j'aurais voulu me fondre dans le décor, je croyais n'avoir rien à dire. Quelque chose clochait, je le sentais, mais je ne savais pas si cela venait des autres, ou bien de moi.

Moins d'un mois avant les dix ans de Karen, Wilhelm se suicide. On le retrouve pendu dans une pension de famille de Copenhague. Les proches avancent plusieurs explications. Son tempérament dépressif ? La crainte des séquelles d'une probable syphilis dont il semblait pourtant guéri ? La mort emporte les secrets de

Wilhelm. Ne reste de lui que cette photographie que je préfère à toutes les autres, la plus émouvante, celle d'un homme aux yeux tristes, fixant l'objectif d'un air inquiet, le front plissé, comme si, de chasseur, il était devenu bête traquée. Je le regarde, et Rungstedlund se fige.

C'est le premier chagrin de Karen et le plus grand. Une brèche s'ouvre. Karen se cherche une place dans sa famille où ne règnent désormais que des femmes : sa mère, sa tante Bess, sa grand-mère. Le confinement des salons l'oppresse. À ses heures perdues, elle dessine ou remplit ses carnets de contes et de poèmes. C'est sa façon de s'échapper, une sorte de vie parallèle où son trop-plein d'images et de désirs se déverse. Un royaume de mots pour faire reculer le silence. Et tant pis si la famille considère que ce ne sont pas de bonnes occupations pour une jeune fille. Karen sait que c'est à elle, la fille préférée, que Wilhelm a légué son héritage : ne pas craindre d'avoir de grands rêves, aller voir le vaste monde, placer la liberté au plus haut.

Mon père me donnait parfois l'impression d'être le spectateur de sa propre vie. Il déployait beaucoup d'énergie pour nous apporter ce que ma mère ne pouvait nous offrir, il était très attentif, mais jamais il n'aurait remis en question notre système. Les murs de notre maison étaient épais, les bouches scellées, rien ne devait transparaître. Une seule fois, il m'avoua combien il aurait voulu tout lâcher, embarquer sur un bateau et se lancer dans un tour du monde.

C'était après qu'il m'avait vue longuement pleurer sur ma difficulté à exister. Jacques Brel et les grands navigateurs le faisaient rêver. Je lui offris un volume illustré de *Moby Dick* mais mon père n'aimait pas lire.

Car l'esprit de Wilhelm vit désormais en elle, et Karen a beaucoup à faire. Il lui faut être à la hauteur de ce père singulier. Bel héritage, terrible poison qui la pousse à en demander toujours plus, leur formidable rêve de grandeur, puits sans fond, douloureux secret. Il ne laissera pas Karen en paix. Elle craint de décevoir les siens, et derrière eux se dessine encore et toujours l'ombre du père. Elle redoute de ne plus se plaire, la fière Karen. Je la comprends. On ne peut se contenter d'une vie ordinaire après avoir été reine. Et reine, Karen l'a été. Mise sur un piédestal par celui que ses yeux d'enfant ont reconnu comme le moins commun des hommes. Après, ne lui restera qu'à revivre éternellement cet effondrement de l'enfance. Interminable chute. Plaie lancinante. Car, plus que tout et à jamais, Karen demeure cette petite fille qui se promenait dans les bois avec Wilhelm, main dans la main ou juchée sur ses épaules, regard tourné vers le même horizon, et soudain silhouette abandonnée. Qui aurait pu s'en remettre ? Pas moi.

2

Il arrive que les rêves d'enfants aient du mal à résister à la réalité. Karen n'est plus une enfant et son père est mort depuis longtemps. Qu'est-elle parvenue à sauver de leurs conversations dans la forêt ?

La plupart des jeunes femmes qui entourent Karen sont mariées. Ses amies donnent naissance à leurs premiers bébés et s'apprêtent à vivre comme ont vécu leurs mères avant elles. Et avant leurs mères, leurs grand-mères. Et avant leurs grands-mères, leurs arrière-grands-mères.

Karen n'a pas envie de cette vie-là.

Les dimanches midis, elle bâille à n'en plus finir lors des interminables déjeuners de famille. Ses frères, ses sœurs, ses tantes parlent de choses qui ne l'intéressent pas. Untel a réussi tel exploit. Unetelle s'est disputée avec la fille du voisin.

Mais après ?

Karen s'ennuie. Elle attend autre chose de la vie.

– Ah bon ? À la bonne heure ! Eh bien qu'attend-elle ? demande Bess.

Je ne savais comment grandir, ni quels mots poser sur ce que j'éprouvais. Je cherchais dans les livres des réponses aux questions qui me troublaient. Que me cache-t-on ? Pourquoi ne suis-je pas celle qu'on attend ? Les réponses de mon père étaient fuyantes. Il me disait que tout allait bien, que rien n'était bizarre, qu'on était des invincibles. Il me cachait ses soucis et son chagrin, et j'avais toujours l'impression d'embarrasser mes proches. Je me sentais coupable d'essayer de dire ce que personne ne voulait voir : les trop longues siestes de ma mère, son impressionnante armoire à pharmacie. Je m'éloignais de plus en plus de la vraie vie.

Karen rêve d'écrire. Malheureusement, les éditeurs n'aiment pas son travail. Ils ne l'encouragent pas.

— Non, merci, mademoiselle. Revenez nous voir une prochaine fois.

Karen se sent seule et à l'étroit à Rungstedlund. Un oiseau en cage.

— Tanne a un tempérament de feu. Que voulez-vous ? C'est la fille de son père, taquine sa mère.

En vérité, Ingeborg s'inquiète : À quoi peut bien ressembler le bonheur de mon volcan Karen ?

Comme elle me plaît, la mère de Karen. Chaque fois que je pense à Ingeborg, ma gorge se serre. Elle m'émeut. Son soutien indéfectible à sa fille me touche, comme son intelligence des choses, et sa générosité. Ingeborg a compris, avant tout le monde, le drôle d'oiseau que serait sa fille. Elle sait aussi qu'il n'y a pas d'avenir possible pour Karen à l'intérieur du cocon familial, si bien qu'elle écrit à son fils que rien ne lui serait plus pénible que de contraindre Karen à accepter un mode de vie qui ne la rendrait pas heureuse. « Je sais fort bien qu'elle ne se sentirait pas à son aise à vivre ici avec Bess et moi, et la comtesse Ahlefeldt, Mme Funch, Ulla... – autant de bourgeoises vivant dans une aimable torpeur. » Elle en a conçu de la peine mais a fini par l'accepter.

À partir de ce constat, Ingeborg accompagne Karen du mieux qu'elle peut. Sans jamais tenter de rogner ses aspérités. Magnifique mère. Je lui sais gré d'avoir eu le courage de décoder, au-delà des feintes de sa fille, la noire détresse qui plombe Karen. Jamais elle n'a détourné le regard. Je la lis, et cette fois mes larmes coulent.

C'était un secret de polichinelle mais, moi, je ne savais pas. Personne ne m'avait mise au courant. Les angoisses de ma mère remontaient à son enfance, à ce temps où son père, rescapé d'Auschwitz, avait quitté la maison, elle venait d'avoir quatre ans. S'en était suivi pour ma mère des années de tête-à-tête avec la sienne, orpheline de guerre et littéralement morte de honte d'avoir été abandonnée par son mari.

Mon grand-père était d'abord allé faire fortune à Florence, il y achetait des tricots qu'il revendait au porte-à-porte, puis s'était lancé dans l'importation de café brésilien. Ses affaires avaient prospéré et il était finalement réapparu, combien d'années après ? je ne sais pas, peut-être une dizaine, remarié à une Berlinoise. Ma grand-mère maternelle ne s'en était jamais remise et refusait désormais toute invitation : on ne sort pas sans père, on ne sort pas sans mari.

À côté de moi, il y avait mes cousines, les filles de la sœur de mon père. Tout était plus simple pour elles. Elles étaient légères, elles savaient rire, les garçons les regardaient. J'étais l'ombre, elles étaient des soleils. Plus elles brillaient, plus je m'éteignais. Je continuais plus que jamais de baisser la tête et d'enrouler les épaules. Ma mère trouvait mes cousines très belles. « Elles sont *typées* », disait-elle, presque en s'excusant de nos allures discrètes. Je n'étais pas laide, loin de là, les photographies en témoignent, j'étais seule-ment la fille de ma mère. Je portais sur moi ses doutes et son mal-être. Je lisais les livres de Karen Blixen.

À la pire période de sa vie, lorsque Karen rentre désespérée d'Afrique, sa mère, soixante-quinze ans, trouve encore les mots justes, écri-vant à sa fille que, si elle lui a souvent causé des inquiétudes, et certainement plus que ses autres enfants, elle lui a aussi apporté tant d'affection et de fierté, que quoi qu'elle fasse, elle la bénira toujours. J'ai rêvé de ces paroles consolatrices. À certains moments, on n'a pas pu me les donner, à d'autres je n'ai pas voulu les entendre, stupide jeu du chat et de la souris, et j'ai trop souvent gardé un silence têtu pendant que mes parents, à leur façon et avec insistance, me sondaient :

Et alors, qu'est-ce qui se passe ? Tu as l'air si mélancolique.

Karen est triste. Hans, le garçon dont elle est tombée follement amoureuse, ne veut pas d'elle. À peine la regarde-t-il malgré les efforts qu'elle déploie pour se faire remarquer. Lorsqu'ils se rencontrent, à une fête ou à une partie de chasse, le cœur de Karen se renverse. Ses mains tremblent, ses jambes mollissent. Chaque fois, elle espère que Hans va venir lui parler.

Mais Hans ne vient pas. Il ne la voit pas.

C'est comme si Karen n'existait pas pour lui. Comme si elle était transparente. Karen se demande : Si je n'existe pas pour Hans, mais alors, pour qui est-ce que j'existe ?

Souvent le soir, après avoir baissé le volet de son magasin et rejoint son appartement du premier étage, ma grand-mère lisait des romans français du XIXᵉ siècle que lui conseillait son libraire. Elle adorait lire, en français et en yiddish, et c'est elle qui m'offrit mon premier classique : une édition cartonnée de *La Petite Fadette*.

Lire ne m'empêchait pas de tomber amoureuse. J'avais des goûts très éclectiques mais, plus je désirais un garçon, plus je m'effaçais. Je n'imaginais pas que leurs regards puissent se poser sur moi. Ils se posaient pourtant, parfois, mais je n'osais pas les voir. Lorsque le frère de mon amie italienne, Flavio, un Romain très blond qui avait juste les quelques années de plus qu'il fallait, tenta, à la fin d'une soirée très animée, un geste dans ma direction, posant la main que j'attendais depuis des semaines sur le haut de mon dos, je lui présentai un visage si courroucé et si sombre qu'il s'en détourna aussitôt et ne s'approcha plus jamais de moi.

Lors d'une énième après-midi où Hans a ignoré Karen, Bror, le frère jumeau de Hans, s'approche. Il taquine Karen en insistant sur l'indifférence de son frère.

— Alors, Karen, mon frère ne t'a toujours pas regardée ?

Karen est bien obligée de le reconnaître : Hans ne s'intéresse pas à elle, elle ne deviendra jamais sa femme.

Bror poursuit en lui laissant entendre qu'il y aurait une autre façon pour elle de devenir la baronne Blixen. Il suffirait qu'il lui fasse, lui, la demande.

Karen ne répond rien. Bror et elle ne s'aiment pas. À peine sont-ils bons amis. Cela ne semble pas arrêter Bror qui fait à Karen la seule proposition susceptible de bouleverser le cours de leurs deux vies :

— Tu as envie de quitter le Danemark, j'ai envie de m'installer au Kenya pour y faire fortune. Ce sera une sorte d'association : tu deviens ma femme et je t'emmène en Afrique.

La colonisation du Kenya débute, au VIIIe siècle, avec l'installation des Arabes et des Perses le long des côtes de l'océan Indien. À partir du XVIe siècle, les Portugais puis le sultanat d'Oman les remplacent, lesquels, à la suite de Vasco de Gama, prennent successivement le contrôle de la côte de Zanguebar – aujourd'hui le nord du Mozambique, la Tanzanie, le Kenya et le sud de la Somalie. Ils y voient passer les caravelles en direction des Indes. Il faut attendre la deuxième moitié du XIXe siècle et notamment le scientifique Emin Pacha, né Eduard Carl Oscar Theodor Schnitzer, pour que l'exploration européenne de l'intérieur du continent débouche sur la colonisation complète du pays. Placée d'abord sous protectorat allemand, la région est rapidement cédée au Royaume-Uni, qui renfloue les caisses de l'*Imperial British East Africa Company*, société privée au bord de la faillite, et assoit ainsi sa domination jusqu'à l'indépendance du Kenya, en 1963.

Lorsqu'en 1905 l'Afrique orientale reçoit officiellement son titre de colonie britannique, le *Colonial Office* choisit Nairobi comme capitale. La ville, qui tire son nom d'un point d'eau, l'Ewaso Nyirobi – le flot d'eaux fraîches –, est alors une ancienne zone marécageuse fréquentée par les Massaïs et leurs troupeaux. Après l'arrivée de plus en plus importante d'Européens que le Royaume-Uni encourage à émigrer, le lieu devient le centre névralgique de la région, base arrière de la *Rift Valley* et point de chute des voyageurs et commerçants qui remontent le pays depuis Mombasa.

Bror et le Kenya, le Kenya et Bror. La vie changerait de couleurs. Serait-ce un pacte avec le diable ? Bror n'a pas d'autre solution que celle de partir. Ici, au Danemark, il manque de moyens pour entreprendre quoi que ce soit. Et personne ne semble lui témoigner beaucoup de confiance. Que comptes-tu faire, Karen ? Est-ce le moment de saisir ta chance ? Tout se bouscule dans sa tête.

Karen accepte.

Ma mère a toujours pensé que, si son père avait épousé sa mère dès la fin de la guerre, alors qu'il était revenu détruit d'Auschwitz, où il avait perdu ses parents, une sœur, trois frères et surtout sa première femme, Paula, qu'il adorait, c'est parce qu'il se racontait à Liège, jolie ville wallonne proche des Pays-Bas et de l'Allemagne, que ses grands-parents maternels avaient enterré dans un parc de la ville l'ensemble de leurs économies. Ils avaient ensuite été arrêtés sous les yeux de leur fille, ma grand-mère, laquelle ne devait son salut qu'au sang-froid de sa tante qui, au péril de sa vie, avait plaqué sa nièce au sol, dans la rue, l'empêchant d'aller rejoindre ses parents. Elle ne les revit plus. Ma grand-mère orpheline était donc devenue un bon parti. L'argent n'a jamais été retrouvé et, cinq ans plus tard, mon grand-père abandonnait son foyer.

Le mariage de Bror et de Karen ? Les deux familles croient d'abord à une plaisanterie. Enfin, pas exactement. Chez les Dinesen, des luthériens ultraconservateurs, l'humeur n'est plus tout à fait à la rigolade. D'ailleurs, on ne plaisante pas souvent à Rungstedlund. La nouvelle les consterne.

Ingeborg a une très mauvaise opinion de Bror, qui est tout sauf un garçon sérieux. En plus, constamment sans le sou.

Ce n'est pas tout. Bror a la réputation de passer son temps à s'amuser. Il lui arrive régulièrement de trop boire et, pire, il est connu pour avoir la tête toute retournée dès que passe une jolie fille. Bref, une catastrophe.

La famille de Karen se désole pendant que résonne en moi le « *oï, a bror* » yiddish de ma grand-mère, celui qu'elle ne manquait jamais de lâcher à la suite d'une déconvenue, son visage grave serré entre les mains, et qu'on pourrait traduire par un « Oh non, mais quel malheur ! »

Et oui, quel Bror !

Karen se régale de la tempête qu'elle vient de déclencher. Laquelle n'est pas loin de ressembler à celle qui avait frappé la famille d'Ingeborg après la demande en mariage de Wilhelm. Qu'avaient-ils imaginé ? Combien de temps pensaient-ils que Karen allait encore croupir dans les *parties* et autres mondanités ? Karen est plus résolue que jamais.

Et Bror l'amuse. Il n'a pas que des mauvais côtés. Il est drôle et attachant. Il a mille idées à la seconde et est toujours absolument convaincu de pouvoir les réaliser. Rien ne lui fait peur. Karen se dit qu'avec Bror elle a trouvé un allié qui lui plaît. Sûr qu'il ne manque pas de panache. Ni de charme. Karen veut y croire. Même si, aux yeux de sa mère, cela ne suffit pas à en faire le gendre idéal.

– Ce garçon ne t'apportera que des soucis. Il ne te rendra pas heureuse.

Que sait Ingeborg de ce qui rend Karen heureuse ? Karen a vingt-six ans, on la presse de se marier. Au moins, Bror ne lui dit pas que ses rêves sont impossibles. Ses projets le réjouissent. Elle a choisi de l'épouser, sa décision est prise.

Je me suis mariée trois jours après la fin de mes études de lettres. Nous étions ensemble depuis des années, cela s'est fait naturellement, dans la suite logique de ce que nous avions amorcé. Ce fut une belle cérémonie, comme on l'avait souhaité pour moi et telle que je l'avais acceptée. On organisa une grande fête. Je portais une robe faite d'un assemblage de petites feuilles de lierre découpées dans de la dentelle blanche. J'étais tout sourire et je reçus ce soir-là beaucoup de compliments de ma famille et de mes amis. Mais j'avais toujours peur de mes tourments. Un rien me déstabilisait. Sortir, parler, être en mouvement m'étaient pénibles, je cachais du mieux que je pouvais mon embarras et m'étais inscrite, sans y croire vraiment, à un cours de yoga. Je me sentais oppressée, je respirais mal, mon dos et ma nuque étaient toujours contractés, je souffrais presque en permanence de migraines. Mon mari me soutenait dans mes efforts. Il me rassurait et faisait office de rempart entre le monde et moi. Il avait la confiance dont je manquais. Avec lui, tout était simple. Il disait ce qu'il pensait, il pensait ce qu'il disait. Je ne voulais plus avoir l'air différente. J'ai cru qu'en me mariant j'arriverais à me mettre à l'abri de moi-même.

Le moins qu'on puisse dire, c'est que Karen ne veut rien entendre. Elle n'est pas de celles qu'on fait changer d'avis, et sa mère le sait. Si Karen a choisi Bror et le Kenya, eh bien ce sera Bror et le Kenya.

Elle aussi a de qui tenir.

Lorsque les Vikings, ancêtres des peuples scandinaves, font leur entrée fracassante dans le paysage occidental, pillant sur leur passage ce qu'ils ne massacrent pas, on est loin de se douter que ces nouveaux prédateurs surgis de nulle part posent les bases d'une géographie nouvelle qui bientôt dessine les frontières de l'Europe moderne. Têtes brûlées au sang chaud, ils négocient leurs affaires à coups de hache et multiplient les opérations éclairs depuis leurs drakkars.

Je te regarde, Karen, et je sais que ces explorateurs t'ont laissé un peu de leur fureur. Que veux-tu ? Tu étais faite pour les tempêtes. D'ailleurs, ils le savaient tous autour de toi, n'est-ce pas ? C'est pour cela aussi qu'ils t'aimaient. Et que, le moment venu, ils se sont écartés pour te laisser avancer.

Depuis toute petite, j'ai pensé que je n'étais pas digne d'amour. Je ne me sentais pas aimable et n'avais aucune confiance en ma capacité de plaire. J'ai déployé beaucoup d'énergie à vouloir me faire aimer, mais il me manquait cette assurance première sans laquelle on reste désarmé.

J'étais prête à tout pour combler le vide. J'avais l'impression de marcher au bord d'un précipice.

Le 14 janvier 1914, au lendemain de son arrivée en Afrique, Tanne Dinesen épouse le turbulent Bror et devient madame la baronne Karen von Blixen.

Que Dieu te bénisse ! ma chère Karen.

« *Mazal Tov* », aurait dit Rayele, ma grand-mère.

3

« C'est la route la plus merveilleuse que l'on puisse imaginer. C'est rempli de buissons et d'arbres en fleurs. L'air est très léger et délicieux. On se sent très libre et très heureux », écrit Karen à sa mère.

La construction de l'*Uganda Railway*, aussi appelée *Lunatic Express*, ligne de chemin de fer qui relie l'océan Indien au lac Victoria, n'a pas été une entreprise facile. Commencée en 1896, elle progresse lentement, traverse des plaines désertiques, se heurte à de nombreuses difficultés et mobilise des milliers d'ouvriers, lesquels se retrouveront bloqués sur le chantier du pont de Tsavo, où deux lions font régner la terreur. Sur neuf mois, les autorités officielles relèvent la mort de vingt-huit Indiens dévorés par les fauves, pour la plupart dans leur sommeil, et probablement de plus d'une centaine d'Africains. La ligne atteint son but en 1901. Elle aura coûté la somme colossale pour l'époque de cinq millions de livres sterling, et parcourt neuf cent trente kilomètres de plaines et de prairies magnifiques où foisonne une variété prodigieuse d'animaux sauvages.

Le train qui emporte Karen traverse le pays pour rejoindre Nairobi. Il pénètre le désert de Taru puis remonte lentement en direction des montagnes du Ngong, vers ce qui deviendra la ferme des Blixen. Le spectacle est renversant. La ligne de l'équateur coupe le pays de part en part, pratiquement en son milieu. Au nord, à plus de trois cents miles de l'endroit où se trouve Karen, les feuillages sont verts ; au sud, la végétation prend une couleur paille, comme si le soleil avait brûlé les arbres ; à l'ouest, la vallée du Rift, tout en falaises, donne l'impression d'un effondrement. C'est immense et splendide.

Au fur et à mesure que le train progresse, le décor se transforme. Karen devine le contour des chaînes de montagnes et des volcans éteints : le Kilimandjaro dans son dos, le mont Kenya au loin. De la fenêtre du wagon, elle découvre des plaines, des hauts pâturages, parfois des plantations. Durant plusieurs heures, la savane se déploie à l'infini, et Karen, émerveillée, garde le silence. Sous les rares acacias ou sur des kilomètres d'herbes jaunies, elle croise des dizaines de troupeaux, zèbres, gnous, topis, antilopes, phacochères, buffles, autruches, autant d'animaux nouveaux qui paissent tranquillement. Tout semble à sa juste place et reflète un équilibre parfait. Malgré les secousses du train, les longues haltes, la fatigue du voyage, Karen se laisse gagner par un sentiment profond de bien-être. Heureuse, elle s'imprègne de la grâce du monde.

Quelques jours plus tôt, le bateau sur lequel elle a embarqué à Naples, *L'Admiral*, a accosté à Mombasa. Karen a rejoint Bror, parti avant elle pour organiser leur installation. Les dix-neuf jours de la traversée ont été un cauchemar. Elle a dû supporter un mal de mer tenace et sent l'angoisse monter en elle. Karen est inquiète. Ses nerfs sont à vif. Comment sera-t-elle accueillie en Afrique ? A-t-elle pris la bonne décision ? Bror l'attendra-t-il sur le quai comme il le lui a promis ?

Oui, Bror est là.

Mieux : comme le bateau est trop grand pour entrer dans le petit port de Mombasa, c'est en barque que Bror vient chercher Karen pour la ramener sur la terre ferme. Elle se dit qu'il est un prince venu chercher sa princesse ; cela la rassure, enfin elle va pouvoir s'en remettre à plus fort qu'elle.

Du moment où il quitta sa femme et sa fille jusqu'à la fin de sa vie, mon grand-père ne fut pas en paix. Il ne parla pratiquement jamais de sa vie d'avant la guerre, ni d'Auschwitz, ni de son mariage raté à Liège. Il voyagea beaucoup, puis se fixa à Berlin-Ouest, où il développa un commerce d'import-export avec un ancien compagnon des camps installé à l'Est, lequel était devenu entre-temps le principal responsable des achats alimentaires de la RDA.

Mon grand-père revint régulièrement voir ma mère mais, entre eux, rien ne se passa jamais de façon heureuse. Ils ne se comprenaient pas :

ma mère lui en voulait, mon grand-père ne savait comment lui parler, ils ne cessaient de se blesser. Le peu qu'il a été capable de dire, c'est à moi qu'il l'a raconté. Comme ce jour où un kapo le surprit avec du pain volé dans les cuisines du camp. On le punit, il fut fouetté et enfermé dans un cachot. Lorsque je voulus en savoir plus, il me répondit : « Ça n'a pas été facile, Épinglette », et il détourna le regard. Ce fut tout. Nous passions beaucoup de temps ensemble. Adolescente, je le rejoignais très régulièrement à Berlin, ou bien je venais passer une partie de mes vacances dans sa maison de Benalmadena, sur les hauteurs de Malaga, si bien que j'eus l'occasion de l'observer et de décoder ses rares confidences. Je sais donc ses angoisses et ce terrible sentiment de culpabilité qui ne le lâcha pas.

Du bruit, des odeurs, des couleurs saisissent Karen dès son entrée dans la ville, cité commerçante depuis l'arrivée des Arabes. Le dépaysement est complet, et Mombasa, une fournaise. Les enfants jouent dehors par dizaines, le visage couvert de mouches, les hommes se tiennent debout, un drap autour de la taille, ils discutent par petits groupes, les femmes à la tête rasée, parées de boucles d'oreille et de bandeaux aux tons vifs, vendent ou achètent des fruits, des étoles, des épices. Le tout donne une impression de belle harmonie. Le pays est lumineux, éclatant. Si loin de l'hiver danois où le soleil se couche dès quatre heures de l'après-midi. Tout est différent de ce que Karen connaît et, mon Dieu, comme ça lui plaît !

Moi aussi je suis une fille du Nord, Karen. La pluie, les nuages bas, les bras qu'on replie pour avoir moins froid, je connais. Je sais la pénombre qui recouvre les maisons et cette tombée du jour qui fait baisser les voix. J'entends le souffle de mon chien endormi qui répond à la grisaille du dehors, et c'est comme si j'habitais Rungstedlund.

À dix-huit ans, j'ai rêvé de partir. N'importe où mais loin de chez moi, et plus au sud. Mon projet le plus précis était de rejoindre un kibboutz en Israël. J'avais entamé les démarches, rassemblé les papiers, pris des cours d'hébreu. Mes ancêtres vikings, qui donc étaient des juifs polonais répartis entre Lublin et Varsovie, m'avaient donné le goût du voyage. Lequel cachait en fait l'impossibilité d'un enracinement. J'avais appris de mon grand-père maternel ce qu'étaient ces sentiments d'urgence et de précarité, lui qui ne sortait jamais de chez lui sans une petite bourse remplie de diamants, son passeport pour pouvoir tout quitter, s'enfuir à n'importe quel moment. Je sentais monter en moi l'appel de l'ailleurs. J'avais en tête ces mots de Van Gogh, « vouloir voir une autre lumière » ; ce n'était pas grand-chose mais ils me servaient de boussole. Je voulais surtout essayer là-bas ce que je n'avais pas réussi ici. Recommencer à zéro. Me sentir moins désœuvrée. Autour de moi, on trouvait l'idée mauvaise : j'étais trop prometteuse pour me risquer à l'idéalisme ou au vagabondage.

Mon père, inquiet, me rappelait que j'étais une élève brillante, qu'il était plus prudent de tracer des lignes droites plutôt que de s'aventurer sur des routes sinueuses. Il me citait la liste de ses amis partis à la découverte du monde et revenus tout penauds chez eux. Et puis, ma famille pensait que ma mère avait besoin de moi : elle était si fragile. Je n'insistai pas. Il valait mieux que je ne m'éloigne pas.

Moins de dix minutes sont nécessaires à Bror et Karen pour se retrouver mariés par un officier anglais. « Cela s'est fait très simplement et sans façon. » Un certain Hobley si peu au fait de l'affaire qu'il demande à se faire souffler le nom de la mariée.

– Karen Dinesen, lui murmure-t-on discrètement.

– *What ? I beg your pardon ?*

– K-A-R-E-N D-I-N-E-S-E-N, lui répète-t-on.

Il se racle la gorge :

– Karen Dinesen acceptez-vous de prendre Bror von Blixen, ici présent, pour époux ?

– *Yes, I do.*

Tu vois, tu n'étais pas faite pour les mariages de princesses, Karen de mes songes, double de moi-même. Ton besoin d'être aimée, c'était pour toi une façon de tordre le cou à la gamine délaissée que tu avais été, celle que, hélas, tu seras encore. Quitte à suivre le premier venu. D'accord, Karen, mais Bror Blixen ? Pas possible de trouver moins fiable que lui. Qu'est-ce qui t'a pris ? Tu as pensé que. Oui, ma Karen, je sais.

Les premières années de notre mariage ont été paisibles. Nous avons aménagé dans un appartement coquet, à deux pas de l'université. J'avais hésité entre celui-là et un autre que j'aimais beaucoup parce qu'il faisait face à un petit parc, mais tout le monde s'est mis d'accord pour reconnaître que le deuxième était moins pratique et plus déglingué. À ce prix-là, c'était dommage, nous avons donc choisi le premier. Mon mari poursuivait ses études de médecine, j'ai commencé à travailler. Ma vie prenait un tour plus ordinaire, je perdais mon visage farouche, je commençais même à devenir sociable. Des amis nous invitaient à dîner, nous leur rendions l'invitation. Mon mari était très attentif à mes états, il s'inquiétait sans cesse de savoir comment j'allais. Je faisais des efforts, je parlais plus et je lisais un petit peu moins.

Bror s'est lancé dans l'aménagement de leur maison mais rien n'est prêt. Seuls quelques meubles ont été achetés et les lits préparés pour leur première nuit : Bror s'est contenté du strict nécessaire. Karen espère pourtant installer à Ngong un foyer confortable, à l'instar de celui qu'elle a connu au Danemark. Ses valises sont chargées de plateaux, verres, porcelaines, linge, bijoux et tableaux.

Enfants, mon frère et moi ne manquions jamais de quoi que ce fût à la maison. Nous avions tout et trop, mais la vie y était triste. Mes parents travaillaient beaucoup, ils sortaient souvent le soir. Ma grand-mère maternelle, puis des gouvernantes nous gardaient.

Lorsque nous dînions ensemble, mes parents, mon frère et moi, les repas ne traînaient pas, nous communiquions peu, la télévision allumée, chacun était dans son monde. Dès que nous nous levions de table, je remontais dans ma chambre. Ma mère s'installait devant les nouvelles, mon père lisait le journal, mon frère avait disparu avant moi. J'ai mis longtemps à comprendre pourquoi les choses s'étaient installées de la sorte. Il y avait tellement de silence. Ce silence m'angoissait. Je n'arrêtais pas de me demander ce que j'avais fait de mal. Je voulais me faire pardonner, mais je ne savais pas de quoi ni comment. Personne ne m'a expliqué. En vérité, ma mère n'allait pas bien, nous faisions semblant de rien.

Durant le trajet, Bror, volubile, décrit à Karen leur nouvelle demeure.

Une vaste pelouse borde leur maison qu'une terrasse pavée prolonge. Des chèvres viennent brouter l'herbe souvent desséchée du jardin et, parfois, un animal sauvage s'approche dangereusement des habitations. Il faut le chasser vers les montagnes en poussant des cris et en agitant les bras.

Bror a de grandes ambitions : il veut faire pousser des plants de café sur les terrains défrichés qui entourent la ferme.

– Le café, c'est l'avenir. Nous aurons la plus belle exploitation d'Afrique.

Karen s'étonne. Jusqu'alors, Bror lui avait parlé d'établir une laiterie.

– Ce sera mille fois mieux, le café. J'ai tout prévu. Fais-moi confiance. J'ai acheté des terres et engagé des ouvriers. Nous aurons des récoltes magnifiques. Il faudra être patients mais, tu verras, nous ferons fortune avec la *Karen Coffee corporation* !

Les gens du pays appellent le domaine *Mbogani*, la maison dans la forêt. La ressemblance entre *Boganis*, le nom indien de son père, et *Mbogani*, le nom de sa ferme, réjouit Karen. Elle ne peut s'empêcher d'y voir un lien, comme si l'âme de son père la suivait, et elle s'imagine prolonger en Afrique le rêve que Wilhelm a fait naître en Amérique.

Je connais quelqu'un qui appelle ces enfants chargés de réparer les désirs inassouvis de leurs parents des *enfants aux six vaisselles*. Parce qu'ils s'acquittent d'une tâche qui n'est pas la leur, comme s'ils étaient mandatés par une force invisible.

J'ai bien essayé d'être celle qu'il fallait que je sois. Sois gentille, dis bonjour, tiens-toi droite. Mais à treize ans j'étais une boule de nerfs, épaules rentrées, tête baissée, silencieuse et boudeuse. Plus j'essayais de faire bonne figure, plus je souffrais. Je me sentais à côté de la vie. J'ai improvisé du mieux que je pouvais. J'ai ajouté des couches. J'ai appris à sourire, à m'habiller, à tenir une conversation. J'ai décodé les codes. Je suis devenue experte dans l'art du faire semblant.

J'étais insoupçonnable. Je jure que personne ne m'a jamais donné ce genre d'instructions – tout s'est passé dans ma tête –, mais les ordres les plus silencieux ne sont pas les moins lourds. Même lorsqu'ils sont imaginaires. J'ai mis du temps à me libérer de la panoplie que je m'étais fabriquée. Petit à petit, j'ai désappris la triche. J'ai voulu avoir moins peur d'être moi-même, ne plus éprouver le besoin de plaire à tout prix, oser revenir à ma nature profonde. C'est de ce moment-là que, moi aussi, Karen, j'ai commencé à écrire.

Il fait pratiquement nuit lorsque les époux atteignent Mbogani. La fatigue les engourdit, contracte leur nuque et alourdit leurs jambes. Ils parcourent les derniers kilomètres qui séparent leur domaine de la voie ferrée dans la voiture de Bror et avancent lentement, sursautant à chaque obstacle. Les chemins de terre ne sont que bosses et cailloux. Sans compter le bétail qui coupe régulièrement le passage et oblige à de longues pauses. Karen a la sensation de s'enfoncer au milieu de nulle part. Plutôt que de se raidir, elle s'abandonne à ce vertige qui la happe. Une espèce de sérénité nouvelle l'étreint. D'une main elle retient son chapeau, de l'autre elle serre le bras de son mari.

Lorsque Bror bifurque vers la gauche et se lance dans la dernière montée, on commence à distinguer les contours d'une habitation. Une rumeur se fait entendre et enfle à mesure que la distance se réduit. Tous les ouvriers de la plantation, tous les indigènes au service du couple sont venus, seuls ou accompagnés de leur famille. Près de six cents personnes se tiennent debout, sur la pelouse, attendant l'arrivée de leur nouvelle *Msabu*, leur maîtresse blanche. Il y a des Massaïs, des Kikuyus, des Somalis. Chacun guette l'apparition de Karen, le regard fixé sur le point lumineux qui progresse dans l'obscurité. Le moment est solennel, l'atmosphère magique.

À leur descente de voiture, un homme s'avance vers le couple. Il se tient très droit et est vêtu de blanc. Un large turban rouge encercle sa tête. Il a le regard fier, une démarche imposante, on dirait un Grand d'Espagne. Je ne me lasse pas de l'imaginer. Un jeune chien, tout aussi majestueux, marche à ses côtés.

— Bienvenue chez toi, *Msabu*, dit-il en s'inclinant. Je m'appelle Farah.

4

Et voilà comment j'imagine que Dusk, premier de la lignée, est entré dans la vie de Karen.
En marchant à côté de Farah. Farah voulait lui
offrir un cadeau de bienvenue, ou de mariage.
Il choisit la race de chien la plus noble qui soit :
un lévrier d'Écosse. Une magnifique race de
chasseurs et d'excellents compagnons pour les
hommes. Elle l'appela Dusk, crépuscule, en souvenir de cette première rencontre.

Le samedi soir, lorsque mes parents sortaient,
j'avais pris l'habitude d'aller dormir à la concier-
gerie, près de la gouvernante du moment. Je ne
sais si mon irruption dans son intimité la réjouis-
sait, mais j'aimais de moins en moins dormir
seule. J'avais besoin d'une présence, mon frère
avait grandi et ne voulait plus beaucoup me voir
arriver dans sa chambre, je me rabattais sur qui
je pouvais. Il aurait été mal vu qu'elle me
repoussât : j'étais la fille de la maison. Pourtant,
nous ne nouions pas vraiment de contacts,
c'était une alliance de circonstances, qui durait
ce qu'elle durait. J'avais peu à donner et ne rece-
vais que le minimum en retour.

Je n'ai jamais regardé d'un bon œil la complicité de mes filles avec leurs baby-sitters. Plus encore lorsqu'elles étaient très petites. Je n'aimais pas que d'autres que moi les prennent dans leurs bras. Je craignais que mes filles me confondent avec les nounous, qu'elles ne sachent plus qui était qui, ni que moi j'étais moi.

Dès son arrivée, Bror se met en charge de trouver le boy qui servira Karen. Son choix se porte sur cet homme singulier, un nomade venu de Somalie, Farah. Il est libre et altier. Son caractère s'accorde parfaitement à celui de Karen. Bror est formel : ces deux-là ont été faits dans le même bois.

Karen est immédiatement séduite. Farah et elle ont le même âge et la même taille. Quelque chose dans l'allure de cet homme fait qu'on se retourne sur son passage, il invite au respect. Karen se reconnaît en lui.

J'aime la relation qui se noue entre Karen et Farah. Ils se sont compris au premier regard. Jour après jour, Farah s'est occupé de Karen, de la maison, de la plantation. Il l'a servie et elle l'a protégé. Elle a pris soin de lui comme il a pris soin d'elle. Il a été son confident, sa consolation et son appui. Une des personnes qu'elle a le plus aimée au monde. Jamais il n'a voulu l'appeler par son prénom. Malgré toutes ces années passées ensemble. Pour lui, elle est toujours restée sa *Msabu*, mais pour elle, il était son *black brother*, son frère noir.

C'est Fernand, notre chauffeur, qui après l'école me conduisait à toutes mes activités. Il m'appelait « princesse », portait une boucle d'oreille en strass et une barbe rousse mal taillée, vieille de quelques jours. Il avait deux tatouages : une tête de mort sur l'avant-bras et, comme Robert Mitchum dans *La Nuit du chasseur*, les lettres L O V E inscrites sur le dos de la main, à la naissance de chaque doigt. Nous nous entendions à merveille. Il me faisait rire et me houspillait quand je ne me conduisais pas bien.

Si mes parents n'étaient pas très présents au jour le jour, ils nous emmenaient souvent en voyage. Nous partions tous les congés scolaires. La veille des départs, mon père ressemblait à Bror : il n'arrivait pas à cacher son impatience. On aurait dit un enfant qui trépigne, ses yeux brillaient. Nous partions en général faire du bateau – mon père aimant plus que tout la mer –, sauf l'année de mes onze ans où je demandai avec insistance à visiter le Kenya. Je voulais passer un été dans la nature, je rêvais d'Afrique, je collectionnais les images d'animaux. C'était un monde qui m'attirait, j'étais certaine qu'il était fait pour moi, je venais de lire *Le Lion* de Kessel.

Face à un public sans cesse grandissant d'Européens plus ou moins fortunés qui, en l'absence de structure solide et de façon très désorganisée, se lancent dans des expéditions de chasse, Victor Newland et Leslie Tarlton ont l'idée, en 1904, de fonder la première compagnie de safaris gérés par des guides professionnels. Ils offrent à ces pionniers avides de sensations, dont l'esprit n'est pas sans rappeler celui des découvreurs de l'Ouest américain, des enfoncées inoubliables dans la savane, lesquelles peuvent se prolonger durant plusieurs mois. Très implantés dans la région, les deux hommes fournissent à leurs voyageurs, aussi célèbres que le naturaliste Carl Akeley, le général Baden-Powell, futur fondateur des scouts, ou l'ancien président des États-Unis, Théodore Roosevelt, le matériel ainsi que les vivres nécessaires à leur périple. Ils rassemblent ensuite une équipe d'indigènes entièrement dévoués au service des chasseurs : des porteurs, des gardes, des garçons de tentes, des cuisiniers.

On doit à Richard Francis Burton, scientifique anglais ayant consacré une grande partie de sa vie à la recherche des sources réelles du Nil, l'introduction du mot *safari* dans les récits de voyages, très en vogue depuis le milieu du XIXe siècle. Relié étymologiquement à l'arabe *safara*, le terme désigne en swahili un long voyage à pied, lequel renvoie probablement à ces caravanes perses qui remontaient de la côte vers les Grands Lacs en empruntant les mêmes pistes que les animaux sauvages. Des porteurs noirs les accompagnaient, transportant les marchandises qui, en chemin, seraient échangées contre de l'ivoire, des écailles de tortues ou des peaux de léopards.

Karen s'enthousiasme à la proposition de Bror de partir pour un safari. Chaque jour à attendre est de trop, Bror voudrait se mettre en route au plus vite. Quelques semaines après leur installation, ils prennent la direction de Kijabe, puis du lac Naivasha. Dix-sept boys les accompagnent.

Ce que Karen et Bror découvrent leur coupe le souffle. Des milliers de flamants roses recouvrent le lac. L'horizon n'est plus qu'une gigantesque nappe pastel. Partout où se porte le regard, les flamants emplissent l'espace. La troupe progresse dans des endroits reculés où jamais aucun Blanc n'a campé. La chaleur est telle et le soleil à ce point aveuglant que, la plupart du temps, ils dorment le jour et chassent la nuit. Ils vivent au rythme des animaux. En communion avec la nature. Comme jadis l'a fait le père de Karen parmi les Indiens. Comme si sa vie à lui se répétait dans celle de sa fille.

Sans se lasser, Karen observe les animaux qui s'approchent des points d'eau. Rien ne semble le fruit du hasard. Les groupes se succèdent dans un ordre parfait. Les gnous se retirent pour laisser la place aux zèbres. Les zèbres disparaissent à leur tour à l'arrivée des impalas. Karen contemple les singes se tortillant, les buffles qui la toisent, la gueule déformée. Elle suit les troupeaux de girafes aux cous immenses qui traversent l'espace d'un pas lent et désarticulé. Elle observe leur balancement étrange, lequel laisse penser que l'avant et l'arrière de leur corps ne sont pas reliés. C'est à n'en pas croire ses yeux. Les rhinocéros se confondent avec les rochers, les éléphants avec les branches de bois mort. Karen exerce son regard, apprend à distinguer les contours, les reliefs, les couleurs. Elle a l'impression de vivre comme au début du monde, dans le berceau de l'humanité. Elle est une girafe, elle est une gazelle, elle est un cerf.

Karen confie que si elle ne devait revivre qu'une seule chose de sa vie, ce serait de repartir en safari avec Bror Blixen. Revivre ces quatre semaines à Naivasha.

– Ce fut un temps béni.

J'étais comme toi, Karen, émerveillée par la grâce de ce que je découvrais. Je la ressentis encore bien plus tard, à la lumière d'un second voyage au Kenya, lorsque ce fut au tour de mes filles d'avoir onze ans et que je voulus leur montrer ce qui, à leur âge, m'avait tant enthousiasmée. Nous avions pris un petit avion pour aller de Nairobi au Massaï-Mara. Il se posa après un temps assez court sur une sorte de *no man's land*, piste de terre et de poussière, où les traditionnels badauds avaient été remplacés par des zèbres. Je me frottai les yeux, c'était saisissant. Nous étions trois points minuscules au milieu d'une plaine immensément vaste, royaume libre du monde animal. J'étais de retour, comme autrefois sous la tente, ma poitrine se gonflait de joie.

Le guide qui vint nous chercher dans une camionnette entièrement rafistolée nous fit rouler des heures sur des pistes qui s'obscurcissaient au coucher du soleil. Seule une pierre gribouillée par-ci par-là donnait quelque indication sur le chemin. Nous nous perdions. Le guide avait beau s'en défendre, il ne connaissait pas la route. Nous ne trouvions pas notre campement. C'était partout le même paysage sans limites ni repères, impossible à différencier. Le mouvement de la voiture nous berçait, nous nous laissions porter, et je repensais à mon premier voyage au lac Nakuru, celui de mon enfance, lorsque notre Jeep avait roulé sur l'herbe tassée à la rencontre d'un groupe de pélicans. Ils étaient des dizaines à former des grappes blanches, l'œil orange, le bec kangourou. Je l'avais immédiatement reconnu, le pélican noir surgi à contre-courant, le seul identifiable de la troupe : c'était moi, le casse-tête de mes parents.

La nuit était à présent tout à fait tombée, je ne savais où nous étions, mon téléphone avait depuis longtemps cessé de capter le moindre réseau. Je jubilais. Enfin, enfin j'étais Karen. Ma part sauvage, mon besoin d'aventure, tout ce que je m'étais si bien appliquée à taire, un goût de l'ailleurs, une soif de poésie, un chagrin jamais tari, tout explosait. Je serrai dans mes mains les mains de mes filles, heureuse d'avoir ce trouble à leur offrir, et mentalement je leur murmurai : « Ne faites pas comme moi, n'ayez pas peur, ouvrez les yeux, désirez plus, écoutez ce que la savane nous dit. »

Au milieu des hommes, Karen se sent en confiance. Elle aime se mêler à eux. Enfin elle a quitté les salons danois. Ici, elle respire. Bien sûr, les conditions de vie ne sont pas simples et les lits de camp sous les tentes peu confortables, mais Karen va très bien. Quand elle a froid, Farah n'est pas loin pour lui tendre un châle. Il veille sur elle. Et Bror déborde d'énergie.

Ce n'est pas une surprise, Bror adore la chasse. Comme Wilhelm avant lui. S'il le pouvait, il passerait tout son temps en safari. Ses amis l'ont d'ailleurs surnommé « le meilleur chasseur blanc de la région ». Pour cet éternel dernier de la classe, la distinction l'honore : le voilà enfin bon à quelque chose.

Le premier soir, Bror offre une carabine à sa femme, une 256 à lunette. Bror est sûr de lui. Il sait que la chasse plaira à sa femme.

Bror a raison.

Karen apprend rapidement à manier sa carabine et à repérer le gibier. Le lendemain, ils se nourrissent de la viande chassée mais cela ne leur suffit pas : Bror et Karen rêvent de se confronter aux grands fauves.

Sur une route reculée, ils rencontrent un chasseur avec lequel ils partagent un repas. Cet homme est en contact avec les Massaïs qui l'ont informé de la présence de lions dans les environs.

– Nous voudrions les retrouver, lui dit Bror.

Sur les conseils de l'homme, Karen et Bror se mettent en route. Ils sont déterminés. Karen a l'impression que rien d'autre que le face-à-face avec les fauves ne donnera un sens à sa vie. Cela devient une obsession. Je te comprends, Karen. Tous ceux qui sont allés en safari le confirmeront : les lions nous appellent, on les cherche. À chaque tache dorée entraperçue, l'air s'électrifie. On ne peut renoncer. Ils deviennent notre seule priorité.

Que cherche Karen ? Veut-elle être à la hauteur de l'idée qu'elle s'est faite de son père ? Marquer sa différence avec les femmes de son époque ? Prouver aux autres, et surtout à elle-même, que rien ne l'arrête ?

Ingeborg a son avis sur la question. Elle sait que l'imagination de sa fille est grande. Elle a bien essayé de lui enlever cette manie d'en demander toujours plus. Plus d'émotions. Plus de sensations. En vain. Et donc, à ceux qui s'inquiètent du tournant que prend la vie de Karen, Ingeborg répond : J'ai une fille bizarre qui a choisi une vie bizarre. Eh bien, qu'elle suive sa nature !

Et moi je repense à ce passage d'*Aurélien* où Aragon scrute l'âme de Bérénice, la femme aimée, ces lignes que j'ai lues et relues à mes vingt ans, le cœur tremblant, si bien que le livre s'ouvre aussitôt à la bonne page.

« Il y a une passion si dévorante qu'elle ne peut se décrire. Elle mange qui la contemple. Tous ceux qui s'en sont pris à elle s'y sont pris. On ne peut l'essayer, et se reprendre. On frémit de la nommer : c'est le goût de l'absolu. On dira que c'est une passion rare, et même les amateurs frénétiques de la grandeur humaine ajouteront : malheureusement. Il faut s'en détromper. Elle est plus répandue que la grippe. Ouvrez la porte, elle entre et s'installe. »

Une nuit où Karen et Bror sont restés au camp, Karen est réveillée par des bruits inhabituels. Elle passe la tête hors de la tente. La nuit est sombre, Karen a peur. Elle comprend combien leur expédition est dangereuse, combien ils sont vulnérables. L'Afrique semble si grande et elle, si petite. Karen n'ose s'avancer davantage.

Le lendemain, elle apprend par Farah que deux lions ont dormi à côté de sa tente.

Karen n'a pas l'intention de rebrousser chemin. Les empreintes laissées sur le sol, les excréments repérés entre les fourrages leur permettent de suivre le groupe. L'attitude des autres animaux les renseigne également. Si les troupeaux se montrent nerveux, il est probable qu'ils se sentent observés par les fauves. S'ils broutent tranquillement, la voie est libre.

Karen, Bror, les boys guettent en silence. L'impatience les gagne. Leurs yeux balaient la plaine.

En ce début de siècle, au Kenya, il se racontait entre chasseurs qu'un homme entré dans le champ de vision d'un lion disposait, si celui-ci chargeait, d'à peine deux secondes pour l'abattre. Un, deux, pan. Plus le danger était grand, plus la performance devenait glorieuse, et Nairobi bruissait du récit de ces formidables exploits, ou de ces terribles carnages.

La rencontre se produit en début de soirée, alors que le soleil se couche. À cent mètres de leur position, Karen repère un lion, couché dans les herbes hautes. Il a l'air endormi, silencieux et parfaitement immobile, la gueule entachée de sang, une carcasse déchiquetée à proximité. Il semble ne rien voir ni entendre de ce qui se passe autour de lui.

D'un geste de la main, Karen arrête les autres. Chacun retient sa respiration et observe la bête.

Le temps est suspendu. Bror se tourne légèrement vers sa femme et, la voix sourde, lui murmure : « *It's a lion.* » Le lion se redresse et les fixe. La seconde d'après, Bror arme son fusil. Karen sent son pouls dans les tempes, la transpiration lui colle son chemisier à la peau, des gouttes de sueur s'échappent de son chapeau. Elle frissonne. La splendeur du lion transperce son âme. Bror met sa carabine en joue, les boys le suivent, prêts à intervenir. Karen a la tête complètement vide. Rien ne compte, seul existe le *ici et maintenant.* Bror tire. Le lion s'effondre.

Je n'étais pas au Kenya et ce n'était pas une bête féroce, seulement mon chien, étendu sur la pierre. Depuis mes cinq ans et l'arrivée de Diane, notre premier berger allemand que mon père avait baptisé du même nom que le braque de son enfance, j'ai toujours vécu avec des chiens. Après Diane, il y eut deux yorkshire, un autre berger puis un jack russel. Celui-là était un dalmatien. Je pleure mon chien comme jadis j'ai pleuré ma grand-mère. Il vient de se cogner au muret du jardin en poursuivant un chat du quartier, il a raté son saut et s'écroule. Son regard me fixe, il est terrorisé. Je le palpe, je manipule ses pattes, tout s'est raidi. Je me précipite sur le téléphone. Si seulement j'avais suivi mes rêves de petite fille, je serais devenue vétérinaire, je saurais comment faire. Le vétérinaire arrive rapidement mais il est trop tard. Mon chien ne m'a pas quittée des yeux, je suis la seule chose qu'il comprend encore. Je le réconforte, assise à terre, et, pendant que je le caresse, il meurt, la gueule ouverte.

Je me sens immensément triste, les souvenirs remontent, je pleure, tout se mélange. Il y a la mort de ma grand-mère, bien sûr, laquelle me manque encore aujourd'hui, il y a la dépression de ma mère, qui jusque-là couvait et devint aussitôt trou béant, il y a ma solitude.

Durant des années, tous les matins, très tôt, j'ai promené mon chien dans la forêt. Je l'avais recueilli un mois après mon mariage, il s'appelait Boots, comme le chien des nouvelles de Kipling, c'était le premier chien que j'adoptais sans l'accord de mes parents. J'écoutais de la musique pendant que mon chien courait. Je le regardais s'éloigner et revenir. Cela me faisait du bien, je me perdais dans mes pensées, j'imaginais les livres que j'espérais un jour écrire. Virginia Woolf n'était jamais loin, elle me parlait, je l'apercevais entre les branches des arbres. Cette forêt, c'était ma *chambre à moi*, le seul endroit où je pouvais avouer mes rêves de poésie. Mon chien et moi étions les seuls à savoir.

Chez les Massaïs, le plus grand respect entoure les guerriers qui ont vaincu un lion. Les lions sont leurs ennemis naturels : ils attaquent le bétail, ils dévorent les hommes. Aucun autre animal ne leur inspire la même peur, si bien qu'un rituel très précis accompagne l'exploit. Celui qui a accompli un tel acte de bravoure est célébré dans la tribu et reçoit une coiffe le distinguant du commun des mortels : la royauté du lion a rejailli sur lui, il peut prétendre à devenir chef plus tard.

À Karen qui décrit le sentiment de puissance qui l'a envahie alors qu'elle regardait cette bête immense, soudain affalée sur le sol, Farah, ému, lui répond qu'elle vient de vivre l'expérience la plus noble qui soit.

– L'Afrique entre en toi, *Msabu.*

5

Les bottes de Bror étincellent. Ce sont de belles bottes en cuir, de marque anglaise, impeccablement cirées, avec une boucle en métal sur les côtés. Bror les a fait venir par bateau, d'Europe.

– Cette dépense était-elle nécessaire ?

– Celui qui possède une exploitation de café se doit d'avoir des bottes de première qualité, répond Bror en riant.

Comme toujours, Bror a un sens inné de l'essentiel.

Après le thé, encore réputé aujourd'hui comme l'un des meilleurs au monde, le café, *kahawa* en swahili, est le deuxième produit d'exportation du Kenya. À la différence du café *robusta*, plus facile à récolter parce que planté sur des terrains de plaine, donc moins cher, le café *arabica*, seule espèce de caféier exploitée en Afrique, se cultive sur les hauts plateaux, aux flancs des montagnes.

On situe habituellement l'origine du café *arabica* en Afrique de l'Est, plus précisément en Éthiopie, dans la province de Kaffa. La légende traditionnellement rapportée raconte qu'un berger d'Abyssinie, intrigué par l'effet tonique que produisaient les plants de caféier sur ses chèvres, introduisit la boisson dans le monde arabe. De là, la culture des graines de caféier se propage du monde arabe vers la Perse, l'Afrique, la Turquie, l'Inde et l'Asie. En 1720, le médecin et botaniste français Antoine de Jussieu introduit le caféier aux Antilles et, sept ans plus tard, la première plantation de café voit le jour au Brésil.

Le caféier est un arbre de petite taille, à fleurs blanches et aux fruits rouges à l'intérieur desquelles deux graines de café se font face. Il faut patienter trois à quatre ans pour que les jeunes plants commencent à produire. Lorsque enfin arrive la première floraison, six à huit mois sont encore nécessaires pour que mûrissent les premiers fruits. Une fois récoltées, les baies sont séchées et lavées de façon à ce que tombe l'enveloppe qui protège les graines. Les sacs de jute remplis à ras bord sont alors prêts pour l'exportation.

À chaque fin de récolte, c'est pareil. Karen a le sentiment d'avoir donné le meilleur d'elle-même et, résignée, elle regarde son café s'en aller vers l'Europe, en espérant que les marchés londoniens lui réserveront un sort favorable.

Pénibles sont les épreuves à surmonter avant d'en arriver là. Les plants de café sont fragiles, proies des champignons et des parasites, ils craignent aussi le gel, le trop chaud, le trop mouillé, le trop sec. Il n'est pas rare de se retrouver avec des quantités énormes de pousses flétries, plus bonnes à rien. L'échec ou la victoire ne tiennent qu'à un fil. Et, comme pour toute activité agricole, beaucoup de la réussite de l'entreprise dépend de l'endroit où l'on a choisi de s'établir.

Au Kenya, l'altitude idéale pour la culture du café se situe à mille cinq cents mètres, dans des régions de production comme Thika ou Kiambu. La ferme de Karen domine Nairobi : elle est construite à mille huit cents mètres d'altitude. Que dire de plus ? Les conclusions s'imposent d'elles-mêmes.

Bror frappe de ses bottes les flancs de son cheval qui s'élance au galop. Parfois même, il agite un *kiboko*, ces fouets africains en peau d'hippopotame. Il ressemble à un cow-boy. Ou plutôt à un petit garçon qui joue au cow-boy. Plusieurs fois par jour, il parcourt ses terres en propriétaire. Il interroge son régisseur, s'enquiert de la météo, surveille les récoltes.

Nombreux sont les Blancs qui l'ont prévenu :

– Cultiver du café à mille huit cents mètres, as-tu bien réfléchi ? C'est très risqué. Les caféiers fleurissent mal si haut. Soit il fait trop chaud, soit l'humidité vient tout gâcher.

Mais Bror n'est pas disposé à écouter les mises en garde. Peut-être est-ce ce qui le relie le plus à Karen ? Il croit dur comme fer à sa chance de débutant. Laquelle voudrait qu'un Danois fantasque et joueur réussisse à se transformer en agriculteur.

– Nous avons la jeunesse et l'enthousiasme pour nous. Il est impensable qu'on échoue, répète-t-il à qui veut l'entendre.

– Vous n'avez pas la moindre expérience. Dis-le à Bror. Votre entreprise est une pure folie, ose Ingeborg dans les lettres qu'elle envoie à sa fille.

Karen répond que raisonner Bror est une cause perdue. Qu'importe, elle l'a choisi, elle le suit.

Je n'en aurais pas imaginé moins de toi, Karen. Enfin, tu vas pouvoir déployer ta formidable énergie. N'es-tu pas celle qui refuse les destinées communes comme on se détourne d'un plat tiède ? Une vie héroïque sinon rien, merci.

Il a aussi été question d'un départ pour les États-Unis. Mon mari y aurait suivi une spécialisation dans une université réputée, entre New York et Boston. Il y avait des formulaires à remplir, un examen à passer, rien de bien compliqué : son profil correspondait parfaitement à leurs attentes et il avait toutes les chances d'être accepté. Kerouac et London m'avaient plutôt parlé de San Francisco, mais cela m'importait peu, l'idée me plaisait : j'avais un bon souvenir de ma lecture de *Gatsby le Magnifique*.

Cette fois encore, l'idée resta une idée. Nous avions cet appartement dans lequel nous venions d'emménager, l'Amérique était loin, la famille ici, je n'étais pas sûre d'être capable de m'en sortir.

À partir de quel moment ai-je commencé à raser les murs ? Je ne peux le dire. Cela s'est fait progressivement, au fur et à mesure que se confirmait mon renoncement. J'avais la sensation d'un étau qui ne cessait de se resserrer : c'étaient mes rêves et mes désirs que je continuais d'étouffer.

Dès que Karen en a la possibilité, elle selle sa jument Aimable et s'en va faire le tour de la plantation. Karen adore ces randonnées. Elle galope un long moment puis poursuit à pied. Elle prend le temps d'engager la conversation avec les *squatters* qu'elle accueille sur son domaine, lesquels vivent ici en échange d'un certain nombre de jours de travail à la ferme.

Karen s'étonne de leur façon de raisonner. Ils n'ont pas les mêmes valeurs, ni les mêmes habitudes. Pas la même manière de communiquer, non plus. Les indigènes n'aiment pas répondre aux questions de façon directe. Par exemple, si on leur demande de façon très précise et très européenne combien ils possèdent de vaches, ils répondront : « Eh bien, le même nombre qu'hier. »

Ce qui n'empêche en rien Karen de tomber amoureuse des habitants du Kenya. « Pour les êtres des deux sexes et de tous les âges. » C'est un coup de cœur, une reconnaissance. Ils ont la noblesse d'âme à laquelle elle aspire. « Une forme particulière d'intelligence que nous appelons le *chic* et qui reflète la véritable aristocratie. »

Karen les a aimés à l'instant même où elle a posé le pied en Afrique, et moi, j'aime te regarder, Karen, heureuse en leur compagnie. Ils avaient tout à lui apprendre : le code de l'honneur, la fidélité à leur idéal de vie, le sens du mot destin. Leur rencontre l'a bouleversée. Ils ont élargi son monde. Elle fut leur *Msabu* ; en eux, elle trouva ses guides.

Au bout d'une année, et grâce aux leçons de Farah, Karen parle suffisamment le swahili pour se faire comprendre et communiquer avec les enfants qui accourent à chacune de ses visites. Elle les prend dans ses bras ou leur caresse le visage. À une époque où les préjugés raciaux font fureur, il n'est pas courant de voir une Blanche entretenir des liens d'amitié avec les Noirs. Les colons préfèrent en général vivre entre eux, en vase clos. Ce n'est pas du goût de Karen.

Très vite, la terrasse de sa maison se transforme en cabinet de consultation pour les familles du domaine. Karen s'y improvise médecin grâce aux notions de secourisme apprises au Danemark. Elle réussit à convaincre les malades de se faire soigner et aimerait que les enfants du village apprennent à lire et à écrire.

— Peu de gens lisent en Afrique, lui rappelle Farah.

Karen voudrait que cela change. Et si ce n'est pas ce que pensent la plupart des Blancs, qu'importe ? Karen n'est pas la plupart des Blancs.

Farah sourit. Il a de la chance de travailler pour une femme de cette trempe. Comme d'habitude, Karen l'a compris au quart de tour :

— Ne dis rien, Farah. La chanceuse, c'est moi. C'est moi qui ai de la chance de t'avoir.

Chanceuse, Karen ? Je n'en suis pas certaine. Les saisons passent, la vie prend un air triste.

La première récolte, au bout de trois années d'efforts, est un échec. Les plants de café ont été abîmés par plusieurs mois de sécheresse, on ne peut rien en tirer. Avec son élégance habituelle, Karen résume la situation : « Ma ferme était un peu trop en altitude pour que le café y pousse vraiment bien. » Et dans les « un peu trop » et « vraiment bien » se cachent les nombreuses déconvenues auxquelles le couple fait face.

Les problèmes d'argent s'accumulent. Karen doit demander de l'aide à sa famille, les reproches pleuvent. On lui rappelle l'inexpérience de Bror, ses dépenses inconsidérées, ses beuveries et ses parties fines. Malgré son désarroi, Karen le défend. Si elle n'oublie pas ce qui l'a amenée à Bror, elle éprouve beaucoup d'affection pour son mari et répugne à avouer aux siens l'isolement dans lequel elle se trouve. Encore moins à reconnaître qu'à l'approche des premières difficultés Bror a déserté le domaine – salut la compagnie –, qu'il l'a laissée affronter seule les épreuves.

Ainsi, Karen, tu préfères te taire plutôt que d'appeler à l'aide. Cela ne m'étonne pas de toi, moi aussi, ne rien dire, je connais. Mais combien de temps pourrons-nous encore garder le silence ?

Karen tombe malade. La malaria d'abord, puis, plus grave, la syphilis, que Bror, dont les infidélités se multiplient, lui a transmise. C'est du moins la version officielle de Karen. Les médecins de Nairobi n'ont rien à lui prescrire si ce n'est des pilules de mercure. Karen rentre quelques mois à Rungstedlund. Sa mère est là, fidèle au poste. Elle soutient sa fille mais Karen faiblit, maigrit, perd courage.

Lorsque je me montrais trop taciturne, ou que mon mal-être se transformait en paroles agressives contre ma famille, ma tante, la sœur de mon père, se permettait d'intervenir. Son leitmotiv était toujours le même : des parents restent des parents ; quels que soient les griefs ou les malentendus qui pèsent, on leur doit du respect. J'étais attentive à ses réprimandes, ma tante savait de quoi elle parlait. Ses parents s'étaient peu occupés de mon père et d'elle. Ils s'étaient mariés aux premiers jours de la guerre, à vingt ans, sous un dais de fortune, et étaient aussitôt allés se cacher chez des fermiers du sud de la France, dans les environs de Villeneuve-Lez-Avignon. Dès leur retour, ils se plongèrent dans le travail. Ils pensaient que gagner de l'argent les rendrait moins vulnérables. Et puis, ma grand-mère paternelle, comme Karen, accordait beaucoup d'importance à l'idée de sa respectabilité.
Le parcours de mes grands-parents était celui de milliers de juifs. Leurs parents, arrivés de Pologne dans les années 1920 pour travailler à la mine, avaient finalement atterri sur les marchés où ils vendaient des peaux et des vêtements, et ce qui ne devait être qu'une étape vers la Palestine dura toute leur vie. Une génération plus tard, mes grands-parents ouvrirent les premières boutiques de prêt-à-porter spécialisées dans la fourrure à Charleroi, une petite ville industrielle du sud-ouest de la Belgique que Rimbaud adorait. Il

y fit plusieurs fugues. Une première qui le mena, pour ne pas avoir payé son billet de train, de Charleroi à la prison parisienne de Mazas ; une seconde où il fêta ses seize ans et écrivit *La Maline*, attablé à la Maison-Verte, pension devenue célèbre qui ressemblait plutôt à un cabaret ; enfin, une dernière, en couple avec Verlaine.

De la fin de la guerre jusqu'à pratiquement leur mort, mes grands-parents travaillèrent sans relâche et gagnèrent plus que tout ce qu'ils avaient imaginé. Si bien que, lorsque ma tante attrapa à onze ans la tuberculose et dut passer de longs mois en Suisse, à Villars-sur-Ollon, il fut décidé qu'elle irait avec une bonne et que ses parents viendraient la voir autant de fois et dès que possible. Ma tante ne leur en voulut jamais, quel autre choix avaient-ils ? mais de cette période et pour toujours elle appela sa bonne *maman* et sa mère *mamy*.

Karen n'abandonne pas la partie. Elle aime le Kenya et, au fond, elle en est certaine : le Kenya l'aime. Elle veut retrouver sa maison, ses boys, sa terre. Ce sentiment de liberté qui partout ailleurs lui échappe.

Six mois plus tard, et suffisamment rétablie pour entreprendre le voyage, Karen embarque en direction des montagnes du Ngong. Cette fois, Bror n'est plus au bout du quai à l'attendre. Probablement prend-il du bon temps dans un bar ? Ou joue-t-il aux cartes au Muthaiga ?

Allez savoir.

D'ailleurs, qui sait ce qu'il se passe dans la tête de Bror ?

— Il ne se passe jamais rien dans la tête de Bror, tranche Ingeborg.

Qu'à cela ne tienne, la voici, la réalité de Karen : Bror ne vient pas l'accueillir à son retour. Ni à Mombasa, ni à Nairobi. Et Karen se retrouve seule, femme blanche au cœur de l'Afrique noire, à six mille sept cents kilomètres de chez elle.

Ce n'est pas ce qui avait été prévu.

Ce n'est pas ce dont elle avait rêvé.

— Mais où es-tu, Bror ? Où es-tu ?

6

Dusk, les oreilles dressées, observe sa maîtresse. La pluie danoise frappe à la fenêtre. Ici,
on la remarque à peine, c'est une affaire sans
importance.

Karen est rentrée d'Afrique. Sa voix est
rauque, son visage a pris l'aspect d'un papier
chiffonné. Si ce n'étaient ses yeux immenses et
vifs – deux billes ardentes, plantées dans le creux
de ses orbites –, on pourrait la croire agonisante.
Une morte vivante.

J'envie ton visage rêche, Karen. Moi, si je ne
crie pas, on ne devine rien de mes tourments. J'ai
l'air aujourd'hui si lisse, si comme il faut. Mais je
suis âpre et je souffre. Parce que je suis comme
toi. Fébrile. Punie d'avoir trop rêvé. Je déploie de
grands efforts pour ne rien laisser paraître de
mon agitation ; souvent j'y parviens, je réussis à
garder une humeur égale, mais je me sens de plus
en plus en danger. Comme si j'étais hors du
mouvement. Étrangère à ce qui se déroule sous
mes yeux. Il y a eux, la famille, mon mari, les
amis, et il y a moi. C'est un sentiment pénible.
J'ai beau essayer de me mettre au bon rythme, je

reste en décalage. Lorsque je regarde les photographies défiler et, avec elles, les années, les coiffures, les sourires – tant d'efforts pour entrer dans le rang –, je ne me reconnais pas. Cette fille et son masque, ce n'est pas moi. Ce n'est pas moi.

« Le roman d'Aurélien et de Bérénice, écrit Aragon, était dominé par cette contradiction dont leur première entrevue avait porté le signe : la dissemblance entre la Bérénice qu'il voyait et la Bérénice que d'autres pouvaient voir, le contraste entre cette enfant spontanée, gaie, innocente et l'enfer qu'elle portait en elle. Peut-être était-ce là ce qui expliquait ses deux visages, cette nuit et ce jour qui paraissaient deux femmes différentes. »

La vie n'est pas simple pour Karen. Depuis son retour, elle a pris l'habitude de cacher ses bras décharnés sous d'épais pulls et elle enserre sa tête d'un large turban qui recouvre ses cheveux usés. La maladie et les soucis ont laissé des traces, ses traits se sont durcis. Les rapports difficiles que Karen entretient depuis des années avec la nourriture n'arrangent rien non plus. Sa silhouette est maigrissime, son humeur fragile.

L'âme de Karen est un yoyo. Elle s'enroule, se déroule, monte et redescend. Ça l'épuise, ça l'éreinte, c'est plus fort qu'elle. Ses joies débordent et sont communicatives, elle est l'énergie, elle est le feu ; ses colères explosent et atteignent quiconque s'y frotte, les murs tremblent, les yeux se font assassins. Karen est rarement dans la mesure. Et régulièrement rattrapée par un état dépressif, cet épuisement nerveux qui l'accable. Ses peines se soignent alors dans le fond de sa chambre, loin du regard des autres. Discrètement, Karen s'éclipse.

Je peux bien t'imaginer, Karen, couchée dans ton lit, perdue dans tes sombres pensées. Même si, dans ces moments-là, tu te caches. C'est une image qui a accompagné une grande partie de mon enfance. Ma mère allongée sur le canapé du salon, le regard vide, sans plus de goût pour rien. Depuis deux ans, elle pleure la mort de sa mère, de moins en moins capable de dissimuler son mal de vivre.

Un été, la maison est déserte, ma mère m'appelle, je monte dans sa chambre. Elle n'a pas quitté son lit, ça fait plusieurs jours qu'elle ne se lève plus, les rideaux sont encore tirés. La voix de ma mère est pâteuse, son esprit embrouillé. Elle m'explique qu'elle ne s'en sort plus, qu'elle est trop fatiguée, trop malheureuse : elle a décidé de mettre fin à ses jours. J'avale ma salive. Elle me charge de prendre soin du reste de la famille, de jouer le rôle de la mère, de la grande sœur, de l'épouse. Je pleure, je me braque, je refuse de la croire. J'ai quatorze ans, je lui en veux, je ne comprends rien à ce qu'elle me dit. Je claque la porte de sa chambre et sors de la maison en courant. Je reste plusieurs heures dehors à tourner en rond, je n'ose plus rentrer. Et si à mon retour ma mère était morte ? Pourquoi ne l'ai-je pas écoutée ?

Je ne connais pas beaucoup d'histoires de l'enfance de mon père. Mon père parle peu des choses qui le touchent et enterre ce qui lui a fait de la peine. Je connais pourtant le secret de ses quatorze ans, même si lui ne connaît pas le mien. Il l'a confié à mes filles.

Un dimanche matin, mon père est seul chez lui. Il range l'appartement qui se trouve au-dessus du magasin, ses parents sont en voyage, sa sœur a été invitée à dormir chez une amie. En même temps, il guette par la fenêtre l'arrivée de sa grand-mère, la mère de sa mère, laquelle doit venir lui rendre visite. Ils s'aiment beaucoup et passent beaucoup de temps ensemble. Au moment où il l'aperçoit descendre la rue, elle s'écroule sur le trottoir, terrassée par une crise cardiaque. Mon père accourt, on appelle une ambulance, mais il est trop tard et il doit décider seul de la suite des événements. Il choisit de ramener sa grand-mère morte dans l'appartement, la couche sur son lit, s'assoit sur une chaise et ne bouge plus ni ne la quitte des yeux jusqu'au retour de la famille, le lendemain après-midi.

Mon père a pleuré en racontant cette histoire à ses petites-filles. Ce qui me renvoie à mon grand-père qui, lui non plus, n'avait jamais parlé à sa fille, mais s'était confié à moi.

Assise à sa table de travail, les jambes enveloppées dans une couverture, Karen écrit. Dans son dos, deux photographies de son père sont accrochées au mur. Karen occupe désormais l'ancien bureau de Wilhelm, à Rungstedlund, à l'extrémité de la maison, une pièce dans les gris-bleu, assortie à la Baltique, de l'autre côté de la route.

Le détroit de l'Øresund qui fait face à Rungsted, au nord-est de l'île de Seeland, sépare le Danemark de la Suède. Large de quatre à soixante kilomètres, les naufrages y sont fréquents en raison du peu de profondeur des fonds marins – moins de dix mètres à certains endroits –, et du nombre élevé de bateaux navigant dans la zone.

Je le porte en moi, ce livre que je voudrais écrire. Je voudrais raconter la vie de Karen Blixen. Cette femme me parle. Karen est ma sœur, son chemin est le mien. Je voudrais dire ses désirs, ses épreuves, son besoin d'exister. Tracer les contours de ce qui l'amène à créer. J'ai l'impression qu'en parlant d'elle j'arriverai à parler de moi. Je suis lasse, lasse de mentir. Et, comme Karen, j'ai l'espoir que l'écriture pourra me sauver.

Sa machine à écrire tictaque de façon régulière, Karen s'évade, rejoint le Kenya, Farah, les Massaïs. Les souvenirs ressurgissent. C'est là que Karen se sent bien. À nouveau, elle rayonne. L'écrivain s'empare de ce que la *farmer* n'a pu accomplir. Dans son bureau danois, Karen invente des contes et répare ses rêves brisés.

Son frère Thomas en avait eu l'intuition. Au plus fort du désespoir de sa sœur, il lui enjoint d'écrire :

– Ce sera la meilleure manière de donner un sens aux épreuves que tu as traversées. C'est ta plus belle chance de salut, lui répète-t-il.

Les seuls et rares moments où je convoquais ma famille dans ma chambre, mes parents, mon frère, parfois mes cousines, c'était pour leur faire la lecture de mes derniers poèmes. Je pouvais leur lire ce que je voulais, ils n'y entendaient pas grand-chose et, de toute façon, là n'était pas le principal, ils étaient surtout soulagés de me voir sortir de ma bulle. La blague de la famille était alors invariablement la même : « Ils seront surpris, les clients, le jour où tu leur vendras des vêtements en leur récitant tes poèmes. » Une seule fois ma cousine aînée se risqua à me faire entrevoir un avenir plus encourageant. Du haut de ses quinze ou seize ans, elle décréta : « Toi, tu deviendras quelqu'un », et j'en aurais pleuré d'espoir et de gratitude.

Thomas croit au talent de sa sœur ; il ne cesse de lui répéter qu'elle ne se sauvera qu'en plaçant l'art au centre de sa vie.
— Tu as les moyens de transformer ta souffrance en matière féconde, lui dit-il. Écris, Tanne, écris.
Karen le sait, bien sûr. Tout son être le lui dit.
Mais il reste encore à Karen à plonger et faire sienne cette phrase de Van Gogh : « Dans la peinture, je ne cherche que le moyen de me tirer de la vie. » Cela ne saurait tarder. Car ce n'est que lorsqu'on n'a plus rien à perdre que l'art peut commencer. Karen y est. Tout en bas de l'échelle, elle qui a tant eu conscience de son rang.

On les reconnaît au premier coup d'œil les personnes qui n'ont pas été humiliées. Leur assurance me blesse. Elles se promènent dans le monde comme s'il leur appartenait, je les regarde, moi qui me sens étrangère partout, et il me semble que leur mépris m'écrase. Je rêve de l'appel consolateur de Verlaine à Rimbaud après que le jeune homme a envoyé ses poèmes au maître : « Venez, chère grande âme, on vous appelle, on vous attend ! », et je me vois tomber de plus en plus bas. Karen me murmure combien elle aura payé cher son entrée dans la littérature ; je l'écoute et me demande si j'aurai à vendre mon âme au diable en échange d'une place sur terre. En moi résonnent les mots de Jack London, ivre et misérable avant sa renaissance : « Si je meurs, ce sera en luttant jusqu'au dernier souffle et l'enfer pourra être fier de sa nouvelle recrue. »

Cela n'avait pourtant pas si mal commencé, n'est-ce pas, Dusk ? Que s'est-il passé ensuite ? Karen a été une rêveuse. Elle s'est battue. À quel moment une vie bascule ?

Lorsque ils étaient enfants, Karen et Thomas avaient une expression secrète qui disait leur aspiration à un idéal obscur et lointain. « Voir la cigogne » était leur objectif. Il faisait écho à un conte qu'on leur avait lu : l'histoire d'un homme vivant près d'un lac et qu'un bruit bizarre réveille au milieu de la nuit. L'homme accourt, veut comprendre ce qu'il se passe. Il cherche au nord, il cherche au sud, trébuche, tombe dans un fossé, dans un deuxième, un troisième, se relève, ne perd pas espoir, persévère, et finalement découvre l'origine du bruit : de l'eau s'échappant de l'étang aux poissons. Durant le reste de la nuit, il rebouche la fuite et, au matin, épuisé, aperçoit une magnifique cigogne près du lac. Les épreuves n'ont pas été vaines et grande fut la récompense. « Au moment précis où l'on a l'impression de tourner en rond de la façon la plus désespérante, on est justement en train de parachever le chef-d'œuvre de sa vie. »

Karen et Thomas ne l'oublieront pas. La cigogne devient leur raison de tendre vers plus haut, course sans fin du frère et de la sœur, nouveaux Icare de la dynastie Dinesen, lesquels rechercheront une vie hors norme pour enfin naître véritablement.

« Une année, la pluie fit faux bond », écrit Karen. Ce n'est pas suffisant, évidemment, pour expliquer la suite : son mariage malheureux, la ruine, le retour au pays. C'est seulement le début de la fin. Ce moment où les événements se gâtent malgré les efforts de Karen qui s'obstine :

« Je persistais à croire que je terminerais ma vie en Afrique, je fus la dernière à comprendre que je devais m'en aller. »

7

Autant parler aux murs. Karen a bien essayé de faire réagir Bror, le retenir, exiger qu'il affronte les difficultés. Peine perdue. On ne sauve pas les gens contre leur volonté. Je le sais depuis la dépression de ma mère et ma lecture de *Bartleby*.

Karen n'accepte pas la désertion de son mari. Lequel n'entend rien aux reproches de Karen. Que lui importe leur contrat, Mbogani, leur projet commun ? Tout le monde a toujours su que Bror n'était pas un homme de parole. Mais Karen est une lutteuse : elle ne veut rien lâcher. Elle préfère y laisser sa peau que souffrir le manque de courage de son mari. D'ailleurs Bror ne supporte plus de lire son incompétence dans les yeux de sa femme, ses promesses non tenues, sa rudesse. Cette femme est trop bien pour lui. Elle n'a rien à voir avec ces colons qui s'enivrent au Muthaiga, dans cette ville où tout le monde couche avec tout le monde. Face à elle, Bror se rappelle ce qu'il est : un irresponsable. Il n'en peut plus de devoir rendre des comptes à Karen et à sa famille. À quoi bon ? Quoi qu'il fasse, les vrais propriétaires de la

Karen Coffee corporation, ce seront toujours eux et, lui, une pièce rapportée. Il ne sera jamais suffisamment à leur goût, jamais à la hauteur de leur attente.

Karen explose. Elle en a assez d'entendre Bror remettre sur le dos des autres ses propres échecs. C'est trop facile.

– Enfin, qu'est-ce que tu veux ?

– Je veux rester ta femme. Que chacun mène sa vie comme il l'entend, mais je suis et resterai la baronne Blixen. Je ne veux pas être seule pour affronter le monde. Tu me dois bien cela.

Quoi que mon mari eût pu dire ou faire, il restait toujours le beau-fils, et la baronne, ou la fille de, la *princess*, le beau parti, c'était moi. Mon mari l'acceptait, évitant de faire des vagues. J'avais espéré pourtant qu'il m'arracherait à mon milieu et à cette vie qui ne me ressemblait pas, j'avais attendu qu'il m'amenât ailleurs, mais ni lui ni moi n'en étions réellement capables. Et puis, pour lui, j'étais son ailleurs : je suffisais à son bonheur.

Les journées sont chaudes et les nuits froides. Plus froides encore depuis que Bror n'est plus là. Ou si peu. Lorsque les routes deviennent impraticables, en hiver, il s'installe plus longtemps auprès de Karen. Parfois plusieurs semaines. Seulement à peine est-il arrivé que le temps lui semble long. Le chasseur blanc s'ennuie, s'échauffe. Et repart.

Durant les multiples absences de son mari, Karen mène de front ses occupations et porte la ferme à bout de bras. Depuis deux mois, elle a même entrepris de creuser un canal pour amener de l'eau vers ses plantations. Karen ne s'arrête jamais. Elle mobilise contremaîtres et indigènes, et tente de faire face aux récoltes capricieuses.

Surtout, Karen craint de décevoir ses proches. Comment risquer de leur donner raison ? Les entendre lui dire que cette ferme est un désastre : On te l'avait bien dit, Tanne chérie.

Elle se sent acculée, responsable du mauvais rendement de l'exploitation, comme de la pluie qui tarde à venir, ou de la fraîcheur des nuits. Qui, sinon elle, serait la fautive ? Karen a le sentiment que tous la condamnent.

Les actionnaires la harcèlent et son oncle s'inquiète des risques de faillite. Sa nièce ne cesse de lui demander de l'argent, mais le temps passe et aucun bénéfice ne s'engrange. Si bien que Karen évite de lui dire le pire : les dettes personnelles que Bror a contractées sur le compte de la compagnie. La situation ne cesse de se dégrader.

Karen enrage. Elle sait bien qu'elle leur réclame une somme importante mais que représente-t-elle pour eux alors que pour elle il s'agit de toute sa vie.

Elle a besoin de leur prouver qu'elle est capable d'y arriver, capable d'entreprendre quelque chose qui la définisse. Qu'enfin elle puisse dire : voici celle que je suis.

Après mes études, par manque d'assurance, par peur de la vie, je suis allée travailler dans les magasins de vêtements de mes parents, qu'ils avaient hérités de mes grands-parents. Rien n'était plus éloigné de mes aspirations et, je crois, de mes talents. J'avais obtenu mon diplôme de lettres, une autre carrière s'ouvrait à moi, je ne manquais pas d'opportunités – j'aurais pu être professeur ou entamer un nouveau cycle à l'Université – et je venais d'être embauchée comme assistante de fabrication dans une maison d'édition. Hélas, je me sentais si malhabile, si peu préparée à me jeter dans la mêlée que, assez rapidement, je préférai cette autre solution, les magasins de vêtements de mes parents, faisant du coup mentir la célèbre blague juive : « Quelle différence y a-t-il entre un fourreur juif et un psychanalyste juif ? Une génération. »

Je me rendais à mon travail les yeux tristes et le cœur lourd, avec l'impression de me perdre un peu plus chaque fois. J'étais pourtant responsable de tâches variées et pas inintéressantes : acheter la marchandise, gérer le stock, organiser les boutiques, arranger les vitrines. Je prenais le train pour Paris environ tous les dix jours, j'allais au Sentier, chez les grossistes et les fabricants de tissus, pour choisir « la came », les modèles fraîchement sortis des ateliers du sous-sol ou des étages. J'avais été formée par ma mère, qui excellait dans le domaine et m'avait appris à monter des collections en fonction de goûts qui n'étaient pas les nôtres mais ceux de nos clientes. En élève appliquée, j'arrivais à me débrouiller et n'hésitai pas un instant à reconnaître dans le rouleau de tissu indigo sur lequel s'alignaient des tournesols à la Van Gogh le futur imprimé vedette de la saison. « Nous en vendîmes des kilomètres », comme cela se disait dans notre jargon. Mais ce métier n'était pas le mien, je l'avais emprunté à ma famille et il me blessait parce qu'il ne disait pas celle que j'étais. Je souffrais de n'avoir su imposer ma personnalité et sursautais chaque fois qu'une employée, plutôt que d'utiliser mon prénom, m'appelait « madame », à ma demande et quand bien même elle m'aurait vue naître, sous prétexte que cette marque de respect assoirait mon autorité.

Mon patronyme, une alouette en français, n'est pas un nom juif mais polonais. Je sais par un cousin de mon père que notre nom a probablement été acheté par quelque ancêtre fortuné qui voulait ainsi prémunir ses fils d'un enrôlement forcé dans l'armée russe, lequel était le sort réservé à beaucoup de juifs. Ce cousin tient aussi de sa grand-mère, mon arrière-grand-mère paternelle, que notre famille, jadis des administrateurs de domaines, ou *arendators* en russe, possédait au XIXe siècle des forêts en Pologne. Nos aïeux les avaient achetées aux nobles désargentés qui les employaient et avaient ensuite continué de s'enrichir grâce au commerce du bois, intelligemment mené à un moment propice : la construction des premiers chemins de fer dans l'Empire tsariste. Cela ne dura pas. La révolution russe puis la guerre de 14-18 provoquèrent la ruine de la famille, si bien qu'elle dut se réfugier dans les faubourgs de Varsovie, avant de se donner une nouvelle chance en Belgique.

Pas une semaine ne s'écoule sans que Karen n'écrive. Des notes pour elle, de longues lettres à sa famille. Elle y consacre ses soirées, assise à la table de la salle à manger où s'éparpillent les feuilles de comptes et les calculs du régisseur. Écrire lui donne l'oxygène indispensable pour ne pas crouler sous le poids des *shauries*, ces soucis qui la minent. C'est sa façon de ne pas étouffer dans la poussière des Ngong Hills. « Un vaste univers de poésie s'est ouvert à moi, en Afrique. Il m'a laissée pénétrer en lui et je lui ai donné mon cœur. » Karen avoue à Thomas combien elle a besoin de se trouver, de construire quelque chose qui lui appartienne vraiment et exprime sa personnalité.

C'est terrible, Karen, de te lire, le visage nu, sans artifices. Dans les lettres que tu envoies à ta famille, tu ne sais pas encore que tu vas devenir l'écrivain Karen Blixen, et cette inconnue te rend bouleversante. Tu en as l'intuition, tu connais « l'indomptable amour de la grandeur » qui coule dans tes veines, ce rêve de création, cet appel de l'autre monde, mais tu n'as aucune preuve de ce que tu avances, aucune garantie à offrir, nul socle sur lequel t'appuyer.

Malgré les doutes qui la traversent, le Kenya exerce sur Karen une fascination telle qu'elle ne voudrait pour rien au monde avoir à l'abandonner. Elle est heureuse d'être de ceux qui ont œuvré pour le pays. Sa vie y est en accord avec sa personnalité, et son amour pour cette terre grandit chaque jour. De même que sa tendresse pour le fidèle Farah, toujours impeccable, et pour son demi-frère, Abdullai, celui qui a la bosse des maths et qu'elle envoie poursuivre ses études à Mombasa.

Peu de temps après son installation à Mbogani, Karen décide d'instruire les enfants qui vivent sur ses terres. Elle veut leur donner les moyens de choisir librement leur vie. Les aider à s'accomplir. Ce qui est sûrement une façon de panser ses blessures, mais aussi l'occasion de donner une couleur différente à ce qu'elle a entrepris au Kenya. Karen a besoin de profondeur. Elle engage un professeur issu de la Mission écossaise et lui demande de dispenser des cours du soir aux ouvriers de la ferme. Leurs progrès la ravissent, et Karen se réjouit de prendre le contre-pied des idées en cours, lesquelles commandent aux Blancs de toujours garder leurs distances.

« Le règne est aux indigènes », clame-t-elle fièrement, ce qui est encore une façon de se rapprocher de son père.

De tous les *totos* qui gravitent autour de Karen, le timide Kamante, ce jeune garçon dont elle a guéri la jambe et qu'elle a engagé comme cuisinier, est celui dont elle est le plus proche. Surtout depuis qu'il a pris soin de la petite Lullu, le guib que Karen a recueilli.

Un matin, Karen croise sur la route de Nairobi une troupe d'enfants kikuyus qui essaient de lui vendre un bébé antilope dont ils ont lié les pattes avec un bout de ficelle. Karen, pressée, les ignore. En fin de journée, sur le chemin du retour, elle retrouve la même bande toujours occupée à tenter de conclure son affaire mais de plus en plus excédée par le probable échec de l'entreprise. Karen est fatiguée. Comme d'habitude, sa journée à Nairobi n'a été que querelles d'argent avec ses fournisseurs. Elle a hâte de rentrer.

Au moment de s'endormir, l'image de la jeune antilope l'envahit. Une pensée l'obsède : que va devenir l'animal livré à la douce brutalité de ses ravisseurs ? S'ils la maintiennent prisonnière, elle mourra, s'ils la libèrent dans la forêt, trop vulnérable, elle mourra.

Karen réveille ses domestiques : Vite, courez, dépêchez-vous. Trouvez-la.

Les boys de Karen sont habitués à ses exigences. Ils n'en sont plus à une excentricité près. Sans sourciller, ils s'exécutent.

Dès la première lueur du jour, Karen sort de sa chambre et vient aux nouvelles. Lullu est là, au milieu de la cuisine, ramenée par Kamante. Elle a la taille d'un chat et pose son regard violet sur Karen. Karen lui sourit.

Lullu devient la demoiselle de la maison. Elle se blottit dans les endroits les plus confortables, de préférence près de la cheminée, et vit en bonne compagnie avec Dusk et les autres lévriers de la ferme. Le tintement de la clochette que Kamante lui a attachée autour du cou annonce ses allers et venues. Tous l'ont adoptée.

Mais, une nuit, Lullu ne rentre pas.

A-t-elle été dévorée par un léopard ? Est-elle tombée sous les balles d'un chasseur ? Est-ce l'appel de la forêt, le terrible appel de la forêt, qui l'a convaincue de ne plus revenir ?

Karen l'attend nerveusement.

À Kamante qui lui demande de ne pas s'inquiéter, Karen lance un regard interrogateur.

Il la rassure :

– Lullu n'est pas morte, elle est mariée. Elle revient presque tous les matins avec son *bwana* manger le maïs que je lui prépare. Il l'attend au bord de la forêt parce qu'il a peur. Puis ils repartent à deux, en amoureux.

Quelque temps après, c'est au tour du bébé de Lullu d'accompagner sa mère. Il faut la voir, fière comme un paon, son petit dans les pattes. L'animal est devenu une splendide créature et Karen se réjouit de l'alliance que Lullu a scellée avec sa maison.

Chaque fois que j'ai voulu poser un acte qui me ressemblait, j'ai eu l'impression de trahir les miens. Tracer ma voie, c'était renier la leur, et j'ai fait autant de pas en avant que de marches arrière. Je ne suis pas partie en Israël, j'ai quitté à dix-sept ans mon petit ami trotskiste que j'adorais, je me suis mariée, j'ai occupé ma place de jolie jeune femme, sympathique et sage, et, même si j'ai gardé intact mon beau rêve de poésie, j'ai toujours continué à le cacher sous la table. Je n'ai pas réussi à m'affirmer. J'en suis encore aujourd'hui à essayer de tout emporter, garder mes deux visages, être celle-ci et celle-là, la sœur de Karen et la fille parfaitement convenable, composer plutôt qu'être déloyale, programme impossible, je le sais, mais je ne lâche pas.

J'imagine souvent Buck, le chien de Jack London dans *The Call of the Wild, L'Appel de la forêt*, sous les traits de Tango, le berger australien que j'ai ramené d'un élevage des Ardennes il y a quatre ans, et dont le nom – un pas en avant, un pas en arrière – illustre mes allers-retours et autres valses-hésitations. Les bergers australiens, *aussies* pour les spécialistes, sont des chiens d'origine basque que des fermiers ont introduits au XVIIᵉ siècle en Australie, puis au XIXᵉ siècle en Amérique. La race s'y est développée et fixée. Réputés pour leur résistance physique et leur grande aptitude à conduire des troupeaux, les bergers australiens sont utilisés comme chiens de travail dans les ranchs. Ils peuvent aussi être dressés pour le sauvetage et se montrent des animaux de compagnie « intelligents, fidèles et d'un tempérament égal », tel que l'exige le standard de la race, établi notamment par l'*Australian Shepherd Club of America*, premier club d'australiens fondé en 1957 en Arizona.

À l'automne 1897, nombreux sont les chercheurs d'or que la promesse de faire fortune a attiré dans le Grand Nord. Des gisements sont creusés, les aventuriers accourent, mais la nature est hostile, les moyens de transport limités, tout est à inventer. Les hommes réclament des chiens de traîneaux robustes, capables d'accomplir des travaux difficiles et de résister aux températures polaires. Ils sont prêts à les acheter à n'importe quel prix.

Buck est de ceux-là.

Il mène alors une existence paisible dans un foyer de Californie lorsque Manuel, le jardinier de la maison, endetté et peu scrupuleux, l'enlève et le revend à un réseau chargé de l'expédier au Klondike. Sa vie change du tout au tout. Buck se retrouve intégré à un équipage de chiens, il est aussitôt harnaché et pris au piège de pistes quasiment impraticables. Les trajets sont harassants, les lois différentes de celles du Sud, Buck manque de technique, les autres chiens ne lui font pas de cadeaux. À ce rythme, il comprend qu'il va bientôt mourir. Mais Buck est un chien noble et courageux qui, au lieu de plier sous l'épreuve, se redresse. Il tue son rival, le belliqueux Spitz, et prend le commandement de la meute. L'effort l'excite, Buck se surpasse et impose le respect aux hommes et aux bêtes. Il a renoué avec son lointain passé. Ses instincts endormis par des siècles de civilisation se libèrent et, bientôt, le goût du sang et de la chair fraîche puis les hurlements des loups, qui l'ont reconnu comme un des leurs, lui enjoignent de venir rejoindre la forêt.

Depuis son arrivée dans le Grand Nord, Buck a connu le pire comme le meilleur. Le pire, ce sont les coups des maîtres inexpérimentés, la fatigue toujours plus grande, la faim, le froid ; le meilleur, c'est John Thornton, qui récupère Buck à l'agonie, le soigne et lui redonne confiance en la bonté de certains hommes. S'il n'y avait John, Buck quitterait le monde des humains pour retourner à la vie sauvage. Mais, chaque fois, Buck se souvient qu'il n'est pas seul, que John l'attend, qu'il est son chien et que John est son maître. Alors Buck quitte la forêt et redescend près de la rivière.

Plus le temps passe, plus les fugues de Buck se prolongent. Il est partagé entre ce besoin de renouer avec sa nature profonde – cette même force qui éloigne Lullu de la vie douillette qu'elle mène à Mbogani ou pousse Karen vers l'Afrique – et l'amour qu'il porte à John. Car l'appel de la forêt s'est glissé dans l'âme de Buck et, avec lui, le réveil d'émotions enfouies et d'évidences oubliées : cette quête de l'absolu que connaît si bien Karen, ce goût de la liberté qui a tué son père, ce tourment qui les pousse en avant vers l'inconnu. Buck ne peut plus faire comme si cet appel n'existait pas, il l'a reconnu et l'entend « qui résonne au fond de la forêt et le plonge dans un grand trouble ».

Au retour d'une de ses échappées, Buck découvre les corps sans vie de John et de ses compagnons, assassinés par les Indiens. Une souffrance nouvelle s'abat sur lui mais, maintenant que son dernier lien avec les hommes a été rompu, Buck n'a plus à choisir. Il s'enfonce définitivement dans la forêt, le *Wild*, enfin totalement loup et délesté d'un passé dont il ne reste nulle trace, si ce n'est ce hurlement qui retentit chaque été près de la rivière où John a trouvé la mort, le cri de Buck qui pleure son ami.

J'ai raconté cette histoire des dizaines de fois à mes filles. Je leur dis les différentes couches qui nous composent et la nécessité, le moment venu, de s'engager dans la voie qu'on a choisie. Une partie de moi aimerait rester comme Lullu, celle qui vient et qui repart, au gré de ses envies, de son besoin d'espace et de ses peurs de petite fille. L'autre a compris qu'elle ne pourra exister qu'à la condition d'affirmer son identité. C'est une lutte que je mène autant pour moi que pour soutenir le regard des autres. Elle me brise, mais que faire sinon trouver ma place, enfin me situer, même à la marge, même dans la forêt. À moi d'y aller, je n'en peux plus de vouloir être partout, et donc nulle part.

Karen déteste vivre sans ses chiens. Ils la rassurent, elle ne les quitte pas. Un jour où elle se rend à Nakuru, elle vole au secours de Dusk qui vient de sauter de la voiture. Il court à la hauteur d'un passage à niveau alors qu'à quelques centaines de mètres arrive un train lancé à toute vitesse. Karen remarque à peine le danger et se précipite vers son chien. Elle le sauve.

Farah est fier de sa *Msabu*.

— Tu ne manques pas de courage. Dieu aime le courage.

Karen se demande quand l'Afrique lui rendra un peu de ce qu'elle lui donne ? Les années passent sans qu'elle ne récolte les fruits de sa peine.

— Dieu est grand.

— Alors qu'il nous bénisse, Mbogani et moi !

— De ta bouche à l'oreille du bon Dieu, lui répond Farah.

Vaines paroles, certes, mais qui d'autre que Dieu, ou le hasard, ou le destin, peut désormais quelque chose pour Karen ?

Personne. Personne, ou peut-être un certain Denys.

— Un certain qui ?

– Un certain Denys.

Denys Finch-Hatton, pour être précis.

8

« Nous recevions beaucoup à la ferme. » Karen avait besoin de ces contacts avec les colons même si la plupart ne lui plaisaient pas énormément. Ils étaient tous tellement isolés et loin de chez eux.

Karen est fébrile et Kamante sur le pied de guerre. Elle organise ce soir un dîner. Seront présents son amie Ingrid Lindström, ce diable de Berkeley Cole, qu'elle adore et qui a l'audace de vivre une passion secrète avec une jeune femme somali – ce pour quoi Karen tient encore plus à leur amitié –, et puis ce « quelqu'un d'extraordinairement *charming* », ce Finch-Hatton qu'elle a entrevu, la semaine dernière, dans une soirée à Nairobi. Difficile de penser que Karen n'a pas été séduite. Toute la ville parle de ce bel aristocrate anglais de trente-deux ans, grand, mince, spirituel, un peu maniéré même. Il a bien perdu quelques cheveux sur le haut du crâne mais, avec le chapeau qu'il garde la plupart du temps vissé sur la tête, il a une allure folle. Les femmes l'ont surnommé *King Denys*, et il se murmure que plusieurs d'entre elles l'ont déjà conduit dans leur lit.

Karen non plus ne manque pas de charisme. Ses dîners sont très prisés par le Tout-Nairobi. D'abord parce que son cuisinier s'est rendu célèbre par la délicatesse de ses mets – la réputation de la « soupe claire de Kamante » n'est plus à faire – ensuite parce que Karen fait régner dans ces soirées une atmosphère toute personnelle.

Comme ce soir, où les rideaux sont tirés, le feu allumé et les domestiques en gants blancs. Sans cette peau de léopard étendue au milieu de la pièce, peut-être même oublierait-on que nous sommes au début du siècle dernier en Afrique ?

J'ai voulu recréer une oasis de civilisation à Ngong, me souffles-tu. Et dans le tissu de contradictions dont tu es faite, Karen, il y a en toi la tentation de reproduire le Danemark en Afrique. Mais tu avances et, quoi que tu en penses, tu n'es déjà plus la même.

La table, impeccablement dressée, scintille sous la lumière jaune des bougies. La porcelaine danoise et les verres de cristal donnent à l'ensemble un aspect raffiné que vient rehausser la tenue de Karen, très en beauté dans une robe en taffetas qui souligne ses épaules découvertes. Tout laisse penser que Karen a mis un soin particulier à préparer la soirée. Serait-ce pour ce Finch-Hatton ? Mettons que ce n'est pas impossible. N'a-t-elle pas confié, après avoir fait la connaissance du jeune pilote anglais, combien elle regrettait qu'il soit parti ? « Ce n'est pas souvent que l'on rencontre un être pour lequel on ressent une sympathie aussi spontanée », lâche Karen.

Nous nous sommes rencontrés grâce aux poèmes de Paul Éluard. Il était écrivain, j'avais timidement recommencé à faire des petits boulots pour une maison d'édition, laquelle m'avait chargée de préparer un ouvrage sur les poètes surréalistes. Je le contactai dans le cadre de ce nouveau travail.

Au moment où je m'avançai vers lui, pendant que j'approchais de la table où il se trouvait et que nos regards se croisaient pour la première fois, je sus aussitôt, intuition extravagante, que cet homme était fait pour moi. Je tenais des livres serrés sous le bras, j'étais très nerveuse et me demandais comment j'allais me présenter à lui. Il me regardait approcher, l'air un peu crispé, ne sachant pour quelle raison je le sollicitais.

Est-ce que ce furent nos quelques paroles échangées, ou ses yeux qui allaient et venaient vers les miens, ou sa bouche immense et sa tête incliné ? je ne sais pas, rien de cela et tout en même temps, mais je ressentis une émotion telle qu'elle réveilla en moi un magma d'attentes et de désirs profonds qui rendaient criant ce que j'avais si obstinément et depuis si longtemps enfoui.

Nous nous vîmes plusieurs fois, je multipliais les occasions de rencontres, recouvrant une audace et une énergie dont je ne me croyais plus capable. Nous partagions ce même besoin de poésie, je me retrouvais en lui, en son parcours, en sa façon d'être au monde, nous avions les mêmes lézardes et, évidemment, le même goût des livres. Pourtant, nous n'avancions pas très vite, et j'étais terrifiée à l'idée de laisser se faner ce presque rien qui avait éclos entre nous. Heureusement il y avait ce livre que nous élaborions ensemble – il avait très vite donné son accord –, ces poèmes où Éluard dit sa ferveur, je sentais que cet homme vers lequel je m'avançais était celui à qui je pourrais donner mon amour, et ce feu qui m'habite, et cette passion qui me ronge.

Lui aussi m'attendait depuis longtemps – et quand je dis moi, je dis l'amour –, mais il ne me reconnut pas tout de suite. Je lui cachais mes sentiments, faisant beaucoup d'efforts pour paraître normale alors que je n'étais que brasier. J'avais l'impression que mon trouble transpirait tant qu'il valait mieux que je lui montre mon visage appliqué de ces dernières années au lieu de lui révéler ce qu'il avait déjà deviné sans vraiment y croire, ma vérité nue, mon âme de pélican noir.

En effet, cela ne fait aucun doute : Denys a tout pour plaire à Karen. C'est un aventurier, un nomade que rien n'attache. Et qui a repris à son compte le rêve de son grand-père parti pour faire fortune en Australie. Il est farouche et insaisissable. Aussitôt pensons-nous l'avoir aperçu quelque part que déjà il est ailleurs. Un drôle d'animal, ce Denys. Fait sur mesure pour une drôle de lionne.

– Karen ?

– Karen, bien sûr.

Le dîner se passe exactement « comme ce devait être ». Karen brille, elle est au plus haut de sa forme. Les assiettes se vident, les verres se remplissent, le temps s'étire. La conversation est animée, les rires fusent. Denys ne lâche pas Karen des yeux. Berkeley entreprend le récit de sa dernière chasse, Ingrid s'enroule les épaules dans un châle, Farah relance le feu. Denys ne lâche pas Karen des yeux.

La nuit est très avancée, ici où là on entend le cri d'une bête sauvage, les convives s'installent au salon.

Karen, selon la tradition qu'elle a instaurée à Mbogani, s'apprête à raconter une histoire. Denys n'a pas encore découvert ce que savent déjà les autres invités : Karen est une merveilleuse conteuse. Enfoncée dans le sofa du salon, un chien à ses pieds, elle commence un récit qu'elle n'achèvera qu'une heure plus tard. La voix de Karen emplit la pièce, elle ressemble au vent qui souffle sur la plaine, Denys est captivé. Il écoutait les histoires avec cette même oreille attentive et concentrée qu'ont les Noirs. Il est aussi difficile d'écouter que de raconter. Denys fut son meilleur auditeur.

Le conte de Karen se termine. On devine l'aube sur le point d'apparaître. Les convives se préparent à partir. Denys n'a pas quitté Karen des yeux. Le lendemain matin, Karen en est certaine : elle vient de tomber éperdument amoureuse.

9

Reconnaissant Schubert, Karen presse le pas. Les portes de la maison sont grandes ouvertes et Denys, pour la prévenir de son arrivée, a monté le volume du gramophone.

Le rose colore les joues de Karen, ses mains s'agitent. Elle se précipite vers la terrasse, attache ses cheveux en chignon, époussette son chemisier. Vite, Farah, prépare-nous un bon repas et apporte-nous des fleurs. Ne traîne pas, Denys est de retour. La maison s'anime. Derrière les portes de service, les boys s'activent.

Notre histoire d'amour a traversé les saisons. Je vivais à Bruxelles, il venait d'emménager à Paris mais nous nous accordions merveilleusement. Je lui apprenais à ouvrir son cœur, il me donnait le goût d'être moi-même. Nous nous retrouvions le plus souvent possible, je lui parlais de moi, je n'avais jamais autant parlé de ma vie, il se livrait aussi, bien qu'il n'en eût pas plus l'habitude. Je rayonnais en le voyant devenir de plus en plus tendre ; il m'entraînait dans son univers, hors des sentiers battus, là où la norme ne voulait plus rien dire ; nous étions en confiance, je n'avais plus besoin de me cacher, et rien ne l'effrayait moins que ce sentiment d'étrangeté au monde que je lui décrivais, lequel me causait tant de soucis alors que lui avait apprivoisé le sien depuis longtemps.

De ce qu'il était et de ce qui composait son imaginaire, ses livres parlaient pour lui : il ne faisait aucune différence entre sa vie d'homme et son art poétique. Évidemment, cela me comblait, moi qui n'avais appris à regarder le monde qu'au travers de mes lectures. Comme me comblaient la route zigzagante sur laquelle il cheminait, ses jours faits de silence et d'écriture, son attention à fleur de peau et son indépendance.

La dernière visite de Denys remonte à trois mois. Karen se languit de le retrouver. Cela fait deux ans, maintenant, deux ans depuis ce fameux dîner avec Ingrid et Berkeley, que sa vie tourne autour des apparitions et des disparitions de Denys. Les semaines sont interminables quand il n'est pas là. Karen essaie bien de s'occuper mais rien ne l'intéresse. Il lui manque affreusement.

Pourtant, c'est leur accord, et Karen le sait bien : Denys ne revient à la ferme que lorsqu'il le désire. Ils n'ont aucune obligation l'un envers l'autre, aucun compte à rendre. Leur bonheur est à cette condition. Enfin, le bonheur de mister Denys. Parce que pour ce qui concerne les conditions, c'est lui qui les pose. En d'autres mots, c'est ça ou rien. À prendre ou à laisser. Point final. Rien à ajouter.

Karen doit s'y faire, Denys a besoin de se sentir libre. Libre comme l'air, dit-il. Très peu pour lui les promesses et les toujours. Il ne veut pas s'engager, rêve d'un enchantement permanent et, dès que Karen devient trop pressante – elle qui lui demande de l'aimer, de le lui prouver, de ne plus la quitter –, il fuit. À Samburu, à Naivasha, au Massaï-Mara. En Angleterre même. Il disparaît pour de longues semaines, des mois parfois. Karen a un immense désir de le retenir près d'elle et, lorsque Denys s'en va, son monde s'écroule. Elle s'enferme dans sa chambre, mange à peine et reste couchée durant quinze jours. Karen est rompue.

Jusque-là, j'étais mariée, j'avais un métier, cela n'allait toujours pas. Au fond de moi, je restais cette même fille sauvage et écorchée. Mes efforts pour vivre normalement n'avaient rien arrangé, je n'arrivais à donner le change qu'au prix d'efforts éreintants ; tout me blessait, je ne trouvais pas ma place. J'avais besoin d'autre chose. De livres, de liberté, d'amour. Je m'en voulais. Je m'en voulais terriblement. Je ne me décidais pas à reconnaître que je m'étais peut-être trompée. Personne ne se doutait de mon mal-être, comment auraient-ils pu ? je ne me livrais pas, au contraire, je camouflais tout, et de plus en plus, trompant les autres autant que moi-même. J'avais le sentiment d'un grand malentendu et d'un triste gâchis : nous méritions tous mieux que ce que j'avais à nous offrir.

Dès leur première rencontre, Karen comprend que Denys est l'homme qu'elle attendait. Elle a tant à donner. Et Denys vient combler ce manque d'amour qui la ronge, elle qui, quelques années plus tôt, a éperdument aimé Hans, le frère de Bror, au point qu'elle crut ne plus jamais connaître un amour aussi intense.

Karen se jette à corps perdu dans leur passion. Denys trouble Karen, il la désarme. Et Karen aime se sentir vulnérable. C'est sa façon de jouer avec le feu. Si bien qu'elle accepte ce qu'elle n'aurait jamais pensé accepter : l'égoïsme de Denys, ses nombreuses fuites, l'insécurité affective dans laquelle il la plonge.

Ainsi tu es une amoureuse, Karen, toi aussi. J'aime cette part de toi qui s'illumine en face de Denys. Les photographies de la fin de ta vie montrent ton visage maigre et dur. Elles fixent les traits d'une femme qui a souffert et s'est battue, et moi je sais la guerre que tu as menée. Ta passion pour Denys nous dit ta fragilité. Dans une des lettres que tu adresses à ta mère, tu lui demandes de se rappeler, malgré les reproches et les *misunderstandings* qui jalonnent votre relation, que, lorsqu'elle t'écrit, c'est un cœur qu'elle touche. Denys a touché ton cœur. Il t'a blessée, peut-être, mais il t'a rendue plus humaine.

Quel autre choix a Karen ? Karen aime Denys pour ce qu'il est, et donc aussi pour ce qu'il ne veut pas lui donner. C'est parce que Denys est incontrôlable qu'il l'attire ; jamais elle n'aurait posé les yeux sur cet homme si elle ne l'avait senti aussi irréductiblement attaché à sa liberté. Karen se convainc que cela lui va très bien. N'est-ce pas ce qu'elle a toujours recherché ? Une vie en dehors des convenances ? Des passions peu communes ? Des émotions intenses ?

Comment pourrait-il en être autrement ? Karen est toujours mariée à Bror. Quand bien même celui-ci s'est montré piètre mari, il n'en reste pas moins son mari. Lequel accepte sans agitation particulière l'ami de sa femme. Laquelle, au nom de leur lien indestructible, continue de défendre son insupportable mari. Drôle de vie, n'est-ce pas ?

– Drôle de vie mais c'est la mienne, répond Karen.

Sans que rien ne soit clairement posé, Mbogani devient le théâtre d'un chassé-croisé que semblent plutôt bien accepter les protagonistes, les deux hommes allant jusqu'à occuper la même chambre lors de leurs séjours respectifs, de plus en plus courts pour Bror, jamais assez longs quand il s'agit de Denys.

Denys et Bror sont très différents l'un de l'autre. Autant Denys est long, sec, tout en retenue, autant Bror est une force de la nature, brouillon et exubérant. Hormis cette même passion pour la chasse, que partagent d'ailleurs tous les Blancs du Kenya, rien ne les relie. Si ce n'est Karen, bien entendu.

Denys répond aux aspirations de Karen, elle se sent belle dans son regard, plus vivante. Avec lui, elle est une maîtresse, avec Bror, une amie. Karen a bien essayé d'initier Bror aux arts et à la poésie, mais ce n'est pas son monde, il ne s'y sent pas à l'aise. Bror aime répéter qu'il préfère tenir une carabine entre les mains plutôt qu'un livre. Il connaît pourtant sa femme mieux que personne et sait presque instinctivement ce qui est bon pour elle. Ce qui ne veut pas dire, hélas, qu'il se montre plus attentif. Nairobi est une ville d'hommes et de plaisirs, la plupart des Blancs y mènent une vie dissolue : Bror a peu de temps à consacrer à Karen. Et moins encore depuis qu'il a pris la mesure des soucis liés à leur exploitation de café. Il n'empêche que Karen reste attachée à Bror. Leur mariage la protège, elle sait ce qu'elle lui doit.

De Bror, mon mari n'avait en commun que la carrure. Il était irréprochable. Attentif et aimant. Mon côté sombre le ravissait et il m'encourageait à faire des pas de côté toujours plus grands. J'étais son billet d'entrée pour l'autre monde, il était mes fondations. Je n'osais voler de mes propres ailes et il aimait cette fantaisie que j'insufflais dans notre vie. Nous faisions du mieux que nous pouvions. Il tremblait à l'idée de me perdre, je n'étais jamais totalement avec lui. Notre union était fragile. J'avais pourtant besoin d'un filet de sécurité : je ne savais comment couper les fils. Et je rêvais de garder mes deux visages. Chaque fois que j'avais voulu partir, m'installer à l'étranger ou m'enfuir des magasins de vêtements de mes parents, ma famille m'avait retenue. Il y avait toujours une bonne raison pour me convaincre de rester, ou me faire revenir.

Mais le goût de l'absolu est un chemin sans retour. Karen, Jack, Vincent, Virginia me l'ont appris. Il n'aime pas les demi-mesures ni les compromis. Devant moi, je vois un tunnel dans lequel, jour après jour, je m'enfonce. Je me débats pour retourner vers la lumière, mais la route est longue, ma solitude ne cesse de grandir. Je ne sais plus où est ma vraie vie, ce qui est réel, ce que j'imagine. Je repense souvent à Buck et à la mort de John Thornton. Je me demande ce qui leur serait arrivé si les Indiens n'avaient pas déversé leur fureur sur le camp. Qu'aurait fait Buck ? Combien d'allers-retours entre la forêt et la rivière aurait-il pu encore supporter ? Que serait devenu John qui l'aimait ?

Tu voudrais ne pas avoir à choisir, Karen. Être mariée à Bror et aimer Denys. C'est une voie sans issue, tu le sais bien. Ton bonheur est précaire, mais tu ne veux pas y penser. Tu essaies encore de croire que tu pourras t'en sortir, ne pas revenir sur tes engagements, composer avec les différentes parties de ce que tu es, mais, au fond de toi, tu es comme moi, tu as déjà compris.

Qu'importe, rien de cela n'a d'importance lorsque Denys se décide à revenir. Dans sa maison au milieu de la forêt, Karen guette son apparition. Son cœur bat à toute vitesse. À chacun de ses retours, ils se parlent de longues heures. Denys exige le meilleur de Karen. Karen s'illumine, son rire emplit la maison, il lui plaît terriblement. Tout devient simple. Ils écoutent de la musique, se promènent, lisent sur la terrasse. Denys est brillant, cultivé, c'est un érudit. Et un merveilleux interlocuteur pour Karen. Une semaine avec lui compense tout le reste.

Elle confie à son frère : « Il est mon idéal incarné. »

Denys aussi aime Karen. À sa manière, bien sûr, mais il l'aime. Elle est si différente des autres épouses de colons blancs. Elle est singulière, elle est étonnante, elle porte un monde. Karen lui demande plus que ses autres liaisons : une présence régulière, un engagement plus grand. Elle lui offre de s'installer à Mbogani et lui confie son désir d'enfant, mais Denys ne se sent pas le goût de fonder une famille. Peut-être n'est-ce pas dans son caractère ? Ou ne se sent-il pas encore prêt ? Karen le pousse continuellement dans ses retranchements, cela l'effraie, il ne voit pas le bout de ses exigences.

Quant à Ingeborg, elle avait espéré autre chose que l'arrivée d'un homme comme Denys dans la vie de sa fille mariée. Lorsque Karen écrit qu'elle est de tout temps et pour l'éternité vouée à Denys, à aimer le sol qu'il foule, à être heureuse au-delà des mots lorsqu'il est là et à endurer des souffrances pires que mille morts lorsqu'il s'en va ; les réflexes danois, les conventions bourgeoises dans lesquelles Ingeborg a été élevée voudraient qu'elle s'en offusque. Ou qu'elle ordonne à sa fille de retourner dans le droit chemin. Il n'en est rien. Ingeborg a renoncé depuis longtemps à faire entrer sa fille dans un quelconque moule. Ce n'est pas un hasard si Wilhelm l'a choisie comme épouse. La mère comprend que

Denys est une chance pour sa fille. Enfin elle a trouvé un homme à sa mesure. Lequel la renseigne sur sa propre démesure.

Karen a toujours pensé que lorsqu'on était capable d'aimer, on finissait toujours par rencontrer celui à qui donner son amour.

— Je n'avais pas imaginé que ton bonheur passerait par là, lui répond Ingeborg, mais ce sont tes choix et je ne peux décider à ta place.

Karen est reconnaissante à sa mère d'accepter sa relation avec Denys.

— Je crois que je te comprends comme je comprenais ton père. Ce doit être pour ça que tu es sa fille à ce point.

À l'approche de Karen, Denys se lève et avance à sa rencontre. Leurs yeux se croisent, leurs mains se frôlent, leurs fronts se touchent. Ils commencent à parler en même temps, les phrases se bousculent : la ferme, la dernière expédition de Denys, les dettes de Karen.

Puis, Denys réclame le silence :

— J'ai quelque chose à te montrer, et il entraîne Karen de l'autre côté du jardin, là où la pelouse jouxte la forêt. Dusk suit sa maîtresse, la queue battante.

À quelques mètres de là, Karen aperçoit un petit avion à deux places.

— Un *Gipsy Moth*, précise Denys, dont le torse se gonfle de fierté. Je viens de le ramener de Mombasa. Je veux te faire découvrir l'Afrique comme tu ne l'as jamais vue.

Les *totos* du domaine se précipitent pour voir leur *Msabu* grimper dans l'appareil. Karen boucle sa ceinture et se couvre la tête, Denys enclenche le moteur. Pas un instant, Karen ne songe à avoir peur : Jusqu'au bout du monde si Denys le souhaite.

Et à mon tour, remuant doucement les lèvres, je répète les mots de Karen.

Avant que n'arrivent les premières automobiles aux colonies, les safaris s'organisaient avec porteurs et chariots. Malgré les précautions que prenaient les équipages, l'exposition au danger restait très importante et il n'était pas rare qu'une expédition se terminât en drame. À partir des années 1920 et l'usage généralisé de la voiture, la logistique de ces voyages se modifie en même temps qu'augmente leur sécurité.

Bien moins communs sont les déplacements en avion. Denys Finch-Hatton est un des premiers chasseurs à suivre des cours de pilotage et à posséder son propre appareil. Il s'en sert désormais pour le repérage de ses safaris.

Je ferme les yeux pendant que Karen et Denys décollent. Le vent me frappe le visage, le souffle du moteur est assourdissant, je tangue. À voix basse, je rejoins Jack London.

« Du fond de la forêt résonnait un appel et, chaque fois qu'il l'entendait, mystérieusement palpitant et attirant, il se sentait forcé de tourner le dos au feu et à la terre battue qui l'entourait, et de plonger au cœur de cette forêt, toujours plus loin, il ne savait où ni pourquoi ; il ne se le demandait pas, mais l'appel résonnait impérieusement dans la profondeur des bois. »

L'avion survole les plaines. Ce sont des kilomètres de terres plantées d'acacias qui, de cette hauteur, ressemblent à de minuscules parasols. L'horizon est baigné de soleil, la poussière renvoie une lumière beige, sèche, le ciel est d'un bleu jamais vu à Rungstedlund.

En volant à basse altitude, l'ombre des troupeaux se précise. Karen aperçoit des zèbres, des gnous, des impalas. Ils sont des centaines à s'abreuver ou à paître tranquillement. Denys surprend des buffles qui dévalent une colline en donnant des coups lourds sur le sol. Des ombres se profilent, peut-être des chacals, peut-être des hyènes, et déjà disparaissent.

Ils s'avancent jusqu'aux endroits le plus inaccessibles. Il n'y a presque pas de maisons, presque pas de routes, ils peuvent atterrir n'importe où. Karen songe qu'il lui faudra inventer des mots nouveaux pour dire ce qu'ils ont vu.

Lorsque le couple retrouve Mbogani, le bonheur de Karen la submerge. Elle vient d'atteindre le sommet de sa vie.

10

« Ma chère petite Tanne,

*N'es-tu pas d'accord pour que nous divorcions ?
Je n'ai pas le courage de continuer tout cela plus
longtemps avec l'intime conviction qu'il n'en sor-
tira aucun bonheur véritable, ni pour moi ni pour
toi. »*

Le moment que tu redoutais tant est arrivé,
Karen. Te voilà au pied du mur. Je crois que je
le suis aussi.

Assise sur le banc de la terrasse, Karen
découvre la lettre de son mari. Elle doit la relire
à plusieurs reprises avant de comprendre ce que
Bror lui demande.

N'es-tu pas d'accord pour que nous divorcions ? Réponds-moi. N'es-tu pas d'accord pour
que nous divorcions ?

Karen tremble pendant que Bror argumente.
Il rappelle combien il a toujours été une charge
dans leur vie, un inconstant et un infidèle. « Tu
ne peux tout de même pas m'aimer alors que
j'ai toujours été une source de soucis et que je
t'ai menée par le bout du nez ? », lui écrit-il.

Mais toi, m'aimes-tu ? pense Karen. Là n'est plus la question. Même s'il est difficile de rompre des liens qui ont tenu sept ans, leur mariage a échoué, Bror demande à Karen de l'accepter.

L'air lui manque, quelque chose en elle se brise. Encore un départ. Bror après Wilhelm. Toujours ce même abandon. La peur prend la place sur le reste, Karen voudrait retenir son mari, elle redoute de le voir partir, mais Bror connaît les affolements de sa femme, si bien qu'il termine sa lettre en lui rappelant leurs arrangements passés :

« Tu as toujours dit toi-même que, lorsque l'un veut divorcer, l'autre ne devrait pas faire de difficultés. »

Bror dit vrai, c'est bien ce que Karen a toujours affirmé.

« Tu peux volontiers télégraphier ta réponse.
Bien à toi, ton désolé,
Bror. »

Ce n'est pas nouveau, Karen vit très mal les départs. Chaque fois remonte en elle cette terreur qui lui rappelle le suicide de son père. Karen se recroqueville. Je la regarde et, face à cette silhouette tordue que les angoisses du passé ont rattrapée, je me reconnais, bien entendu.

Longtemps après ce jour noir où ma mère me parla de son envie de mourir, je pensais encore que, si j'avais été une meilleure fille, avec un caractère plus facile et moins de susceptibilité, ma mère n'aurait jamais songé à nous abandonner. J'étais bien incapable alors d'entendre sa souffrance, je ne voyais que les effets qu'elle avait sur ma vie. Je me sentais perdue. Quelle sorte de fille étais-je donc pour ne pas donner suffisamment de force à ma mère ? Sous-entendu : pourquoi ne comptais-je pas assez pour la retenir ? Je n'étais pas la seule à me poser ce genre de question puisque, longtemps après ce jour noir où mon grand-père abandonna sa femme et sa fille, ma mère pensait encore que, si elle avait été une meilleure fille, son père ne serait pas parti. Si bien que cette peur de l'abandon se répétait et que le désarroi des uns devenait le désarroi des autres.

Me voici donc arrivée à ce point de mon histoire où pour moi aussi se pose la question de savoir si je vais rester ou partir. Un sentiment de grande panique me prend, je voudrais entrer sous terre ou plutôt me mettre au lit, comme Karen et comme ma mère. Je baisse les yeux, je me bouche les oreilles, je réclame un sursis.

De sa ferme africaine, Karen entend déjà les ricanements danois : ainsi, elle n'a été capable de rien réussir, pas même son mariage. Je t'imagine, Karen, bouleversée, et un peu honteuse. Je devine les doigts qui pointent dans ta direction et les chuchotements qui couvent. Évidemment, je pense à ma grand-mère et à son divorce. Je reprends les notes d'un livre que j'écrirai un jour :

« Elle n'eut d'autre choix, ma grand-mère, que celui de baisser les yeux et de laisser le divorce se faire lorsque le rabbin, suivant la tradition ancestrale, prononça la sentence et lui tendit le *guett*, le bout de papier attestant qu'elle était désormais révoquée. Elle eut l'impression que la maigre assemblée présente ce jour-là lui lançait "répudiée" au visage, le ton méprisant, l'air hostile. Désormais, elle ne serait plus une *agounah*, une femme liée à un homme ; d'épouse encombrante, elle était devenue femme humiliée. Dans un autre lieu, à une autre époque, si elle n'avait pas été qui elle était mais une autre, moins rigide, plus confiante, peut-être aurait-elle fait meilleur usage de cette vie qui lui disait son naufrage ? »

Et en parlant de ma grand-mère, Karen, cela m'évite de parler de moi.

Karen s'installe à sa table et prend une feuille :

« Ma très chère maman,

Je crois que Bror et moi allons devoir divorcer. Il n'y a pas besoin d'en faire mystère, si nous en arrivons là, c'est parce que Bror le désire. »

Écrivant cela, Karen est secouée de sanglots. Elle pleure des années de chagrin tu, à vouloir se montrer forte, fière, dure. Malgré l'énergie qu'elle a mise dans son départ pour le Kenya, puis les combats qu'elle a menés, Bror a choisi de défaire leur union. Karen vit des moments terribles. Elle ne voulait pas d'un divorce et confie à sa mère avoir laissé dans ce mariage une bonne part de sa jeunesse et de ses forces. « Peut-être même une partie de mon âme », ajoute-t-elle.

Lorsque Karen termine de lui écrire, elle est à terre :

« Plus tard, lorsque le divorce sera connu, je te demanderai de m'aider à garder la tête haute. Et je m'imagine qu'en ce moment tu me prends dans tes bras.

Ta Tanne. »

Chaque fois c'est pareil, ma voix se brise au moment où Karen appelle sa mère au secours. J'entends Karen et je m'effondre. Comme je m'effondre aux derniers mots du *Journal d'un fou* de Gogol, lorsque, perdu dans sa chambre d'hôpital et convaincu d'être le roi d'Espagne, le narrateur demande à sa mère de le prendre en pitié. « Ô maman, sauve ton malheureux fils ! Laisse tomber une larme sur sa petite tête malade, vois comme on le tourmente. Serre-le contre ton sein, ton pauvre petit orphelin ! »

Je sais que le moment viendra où je ne pourrai plus faire semblant. Je devrai moi aussi m'avancer pour dire celle que je suis. Il me faudra faire face. Je sais que, la gorge nouée, j'appellerai ma mère, oui, bien sûr, qui sinon ma mère ? et je lui dirai : « S'il te plaît, maman, maintenant que la chose est publique, s'il te plaît, aide-moi à garder la tête haute. » Et ce jour-là mes larmes, comme celles d'aujourd'hui, m'empêcheront de poursuivre.

La majorité de la population du Danemark appartient à l'Église du peuple danois, laquelle se rattache à la religion luthérienne. Son code de conduite se veut rigoureux et austère, ce que se doivent d'incarner les Dinesen, dont la réputation de fidélité en l'Église et dans le roi a traversé le pays. Si Wilhelm et Ingeborg ont ouvert une brèche dans cet héritage conservateur, élevant leurs enfants avec beaucoup de liberté et de fantaisie, la famille n'en reste pas moins marquée par l'esprit de la lignée.

La baronne se rappelle combien elle voulait sauver les apparences, et moi, je t'imagine, t'accrochant à ton titre comme une petite fille aux jupes de sa mère, obsédée que tu étais par l'idée de rester une dame respectable aux yeux des autres dames.

En épousant Bror, Karen s'est offert une nouvelle vie mais aussi un statut. Elle confie à Ingeborg que, tel que se présente le monde, la syphilis a été le prix à payer pour devenir baronne. Drôle de prix donné aux choses, surtout par toi, Karen, qui ne croyais qu'à l'aristocratie de l'âme. Mais je sais d'où tu viens, et je connais le poids des milieux sur les vies.

Or voilà que c'est Bror qui abandonne Karen ; lui aussi en a terminé avec cette vie de mauvais arrangements. Si bien que Karen n'a rien eu à décider, Bror a choisi pour elle. Comme la mort de John Thornton a décidé du sort de Buck. Et moi, Karen ? qui choisira pour moi ?

« C'est l'histoire de Moishele sur son lit de mort. Dans sa chambre s'est rassemblée la famille du mourant :

– Léa, tu es là

– Oui, Moishele, je suis là.

– Avroum, tu es là ?

– Oui, père, je suis là.

– Et toi, Rouhele ?

– Oui, papa.

– Et toi, Aaron, mon frère ?

– Moi aussi, tu sais bien.

Et ainsi de suite, la famille entière, proche et lointaine, est passée en revue jusqu'à la chute finale :

– Mais alors, qui tient le magasin ? »

Mon rire est triste. Je m'en veux de ne trouver ma place nulle part et me demande si j'ai le droit de vouloir sortir du cercle que nos parents et les générations d'avant ont tracé pour nous.

Hasard des calendriers ? C'est au même moment que Denys s'installe à la ferme. Oh, s'installer est beaucoup dire, mais disons qu'il fait de la maison de Karen sa base. Les premiers mois sont très heureux. Denys apporte à Mbogani un air de fête. Karen organise des dîners, invite Berkeley, des amis. Ils profitent pleinement de la vie. Karen voudrait que cela ne s'arrête jamais. Elle est aux côtés de Denys lorsque celui-ci découvre l'endroit où il souhaiterait être enterré : une colline au sommet de laquelle on aperçoit le toit de Mbogani.

– Ce sera ici, lui avait-il simplement dit.

Au bout d'une année, Thomas rappelle à Karen la réalité de sa situation financière :

– La ferme ne produit pas assez. Les plants sont sur le point de fleurir mais il n'en restera rien à la fin des pluies.

– Ne t'inquiète pas. Je compte récolter cent cinquante tonnes de café. Tout se passera bien, je rembourserai mes dettes.

– Tu n'en auras pas le tiers, tu ne pourras même pas payer le salaire de tes ouvriers.

– Je me débrouillerai.

– Tanne, tu seras bientôt ruinée. Tu ne peux plus continuer comme ça.

Thomas a raison, évidemment.

– Pourquoi n'en parles-tu pas à Denys ?

En parler à Denys ? Comment Karen avouerait-elle à son frère que, si Denys est toujours très généreux en conseils, jamais il n'acceptera de mettre un sou dans la ferme ? Ou bien en échange de solides garanties et avec bien peu de courtoisie. Je peux t'aider, lui a-t-il déjà fait savoir par l'intermédiaire de son homme de confiance, mais je ne t'avancerai de l'argent qu'en échange de tes meubles ou de ton argenterie. Denys est là pour les moments de plaisir, pas pour les coups durs. Karen l'a compris depuis longtemps. Elle annonce à Thomas qu'elle préfère laisser Denys en dehors de ces histoires. Elle veut s'en sortir seule. Et trouvera bien une solution.

Ce qui est sans compter l'incendie de la brûlerie de café. D'être montée trop haut, Karen ne pouvait que redescendre. Et descendre, oui, Karen, tu vas descendre. J'ai mal pour toi.

Une nuit, Karen est réveillée par Kamante :

– *Msabu*, je crois que tu devrais te lever.

Karen ne comprend pas ce qui se passe. Kamante a les traits défigurés par la peur, il est incapable de parler. Il ne peut que bredouiller les mêmes paroles :

– *Msabu*, je crois que tu devrais te lever.

Lorsque Karen arrive à la brûlerie, elle se joint aux indigènes qui luttent contre l'incendie, mais il n'y a pas assez d'eau, le vent souffle, c'est la panique. Les hommes courent en tous sens, les enfants sont affolés, la fumée leur pique les yeux.

Karen crie et donne des ordres. Elle se bat, elle implore, elle pleure. En vain.

Le feu a mis plusieurs heures à s'éteindre, le bâtiment est ravagé, la récolte totalement détruite. Les traits tirés, Karen contemple cette terre qu'elle a tant aimée. Une immense tristesse l'envahit. Avec le peu de force qu'il lui reste, Karen lève un poing rageur et toise le ciel. Puis, citant la Genèse, elle aussi s'effondre :

« Je ne te lâcherai pas que tu ne m'aies bénie. »

Le jour apparaît et tout redevient calme. Il règne à la ferme un silence de fin du monde. Karen et Farah ont compris que, cette fois, c'en est fini. Il ne reste de la brûlerie qu'un tas de cendres, et Mbogani ne se relèvera pas de cette nouvelle épreuve. Les plants vont sécher, les ouvriers chercheront du travail ailleurs, Karen n'obtiendra plus l'argent nécessaire pour reconstruire ce qui a été détruit.

J'aimerais tant te consoler, Karen.

« Et l'Afrique ? Connaît-elle un chant sur moi ? », me demandes-tu.

Je pleure avec Karen, comme j'ai pleuré avec Duras dans *Un barrage contre le Pacifique*, lorsque la mère doit abandonner ses marais aux crues du Mékong. Jamais personne ne fera pousser quoi que ce soit sur ces terres incultivables, la mère s'est fait rouler. Rouler par la vie, par l'administration coloniale, par son entêtement stupide. Ici le plateau est trop haut, là-bas la concession trop exposée à l'eau. La mère contemple le désastre, déjà à moitié folle, moins que rien sous le regard haineux de sa fille. Laquelle lui en veut tant d'être si faible.

Il a dû m'arriver de poser ce même regard sur ma mère. Celui que j'ai reconnu à la seconde où j'ai découvert les livres de Marguerite Duras. Je n'ai pas tout de suite compris le tourment de ma mère. Je n'ai pas tout de suite vu l'enfant abandonnée qu'elle avait été. Ma grand-mère m'avait pourtant prévenue, elle qui me demanda quelques jours avant sa mort, la dernière fois que je la vis, de veiller sur sa fille. « Sois gentille avec ta maman, je compte sur toi. » Aujourd'hui, je sais. Bien sûr, ma mère comme moi, comme les autres, nous sommes des milliers de Karen. Je pleure sur ces vies qui s'écroulent et ces échecs qui nous tuent. Je pleure aussi sur ma peine et sur mon amour.

Et je me demande ce que Karen peut encore pour moi.

Farah apporte à sa maîtresse une couverture et un verre d'eau. Ses gestes sont doux, son regard grave. Il voudrait prendre sur lui le chagrin de Karen.

— Je suis fatiguée. J'ai eu tant à faire.

— Tu as fait ce que tu as pu.

Karen songe aux années qui se sont écoulées. « Quand le dessin de ma vie sera achevée, verrais-je moi aussi une cigogne au bord du lac ? », se demande-t-elle. Elle se remémore sa première nuit à Mbogani, Farah venu l'accueillir. Elle se revoit petite fille.

— Que veux-tu ? Je ne suis pas née au bon moment, ni à la bonne place. Je devais bien finir par en payer le prix.

— Le prix de quoi ?

— Le prix de mon audace !

— Tu devrais aller te reposer, *Msabu*, tu n'as pas l'esprit clair.

Doucement, Farah entraîne Karen vers la maison.

11

C'est la plus vieille femme blanche que nous ayons jamais vue, disent les Noirs à l'arrivée d'Ingeborg, soixante-huit ans, à Mombasa. La mère de Karen a fait le voyage depuis le Danemark. Elle veut en avoir le cœur net. Sa fille ne va pas bien, son moral se dégrade, les difficultés s'accumulent : Karen a besoin de sa mère.

Depuis l'incendie de la brûlerie, les caisses de la ferme sont vides. La famille n'a pas voulu réinvestir le moindre sou dans l'affaire, le matériel est abîmé, Karen est à bout de force. Elle pourrait, elle ne le sait que trop bien, abandonner le café et se reconvertir dans l'élevage de bétail mais, pour mener à bien un tel projet, Karen aurait à déloger ses *squatters*. Il n'en est pas question. Ni pour Bror ni pour elle.

C'est bien un des rares sujets sur lesquels Bror et Karen sont encore d'accord. Leur séparation s'est faite contre la volonté de Karen, laquelle était prête à tous les compromis pourvu qu'elle restât mariée. Bror ne l'a pas entendu de cette manière et, le 13 janvier 1925, soit onze ans presque jour pour jour après leur mariage, le divorce est prononcé.

– Bror te causait beaucoup de soucis, lui rappelle Farah.

– Je sais mais je suis toujours restée attachée à lui. Je ne voulais pas divorcer.

– C'est parce que tu n'aimes pas perdre, *Msabu*.

Que dit Farah ? Karen a l'impression de n'avoir jamais cessé de perdre.

J'en suis arrivée à me retrouver de plus en plus souvent assise à mon bureau, la tête entre les mains, sentant sur mes épaules le poids de tout ce que je n'ai pas réglé. Plus le temps passe et plus je me demande ce qui peut être écrit, ce qui doit être tu. Je sais que le risque est grand de m'enfoncer plus encore dans le silence et les malentendus. Je sais aussi que parler sera terrible. Je me demande si l'heure de l'aveu a sonné. Je guette des signes. « Mon désir de partir d'ici est maintenant absolu. Ma patience est à bout, à bout, je n'en peux plus, il faut changer, même pour un pis-aller », me souffle Vincent Van Gogh, trois mois avant sa mort. Je l'écoute, terrifiée.

Karen est seule. Cette fois-ci, Bror est bel et bien parti. La relation de Karen avec Denys est devenue plus compliquée, les scènes se succèdent. Karen est jalouse, Denys maladroit. Jamais il n'a entretenu de relation stable avec une femme. Encore moins avec une femme d'un tel tempérament. C'est dire comme il se montre horrifié lorsque, lors d'un de ses séjours en

Angleterre, Karen lui annonce une possible gros-
sesse. Karen a trente-sept ans, ses espoirs de
porter un enfant ont fondu avec le diagnostic
de la syphilis. Le télégramme que Denys lui
adresse est sans appel : « Te conseille fermement
annuler visite Daniel. » Karen en reste bouche
bée. L'hémorragie qui suit règle définitivement
la question. Karen ne sera pas mère. Que te
reste-t-il désormais, Karen ? Pas grand-chose. Et
c'est de ce pas grand-chose que tu vas tirer la
force d'écrire tes livres.

Ingeborg se réinstalle aux côtés de sa fille.
Laquelle, à son corps défendant, a encore besoin
de sa mère. Cela fait plusieurs mois que Karen
l'appelle et lui dit son envie de la revoir. Elle veut
lui faire découvrir sa vie à Ngong Hills. Ingeborg
l'entoure de son affection. Elle sait la détresse de
Karen et fait la connaissance de Denys.
Karen interroge sa mère :
– Quand me suis-je trompée ? En épousant
Bror ? Au moment d'embarquer pour l'Afrique ?
– Tu avais besoin de marquer ta différence.
Et différente, tu l'es, ma Tanne. À tous les
égards. Tu n'as pas à t'en vouloir. Tu n'as rien
à regretter.
Ingeborg reprend sa respiration et se prépare
à dire à Karen ce pour quoi elle est venue
jusqu'ici : Je crois que tu devrais rentrer à
Rungstedlund.
Karen s'enflamme :
– Je suis devenue en Afrique ce à quoi j'étais
destinée. Ce n'est pas à toi que je dois dire

combien je serais malheureuse si je devais abandonner tout ce pour quoi je me suis tant battue. Je peux encore y arriver, crois-moi, je touche au but.

— Tu es trop isolée, Tanne. Tout cela est trop difficile pour une femme comme toi.

— Ce ne sont pas à mes difficultés que tu dois songer, ni à ma solitude, mais à la beauté de ce pays magnifique.

Comme à son habitude, Karen ne veut rien entendre. Dans un coin, Farah veille sur sa patronne. Il tient les comptes de la maison et s'efforce de lui donner le standing qu'elle mérite. Même Abdullai, son demi-frère, a été rappelé à Mbogani. Il continue, pour les grandes occasions, à tenir le rôle de page. Karen s'accroche désespérément au peu qu'il lui reste. Jamais elle ne voudrait revivre cette période où elle dînait tous les dimanches à Folehave. Elle ne peut envisager de rentrer chez elle, ni de retourner à sa vie d'avant, comme si rien ne lui était arrivé.

J'essaie de m'imaginer m'en retournant moi aussi, le livre écrit, à ma vraie vie. J'ai peur, je suis morte de peur, j'ai la voix coupée et l'angoisse me paralyse. Je me demande si je ne devrais pas baisser les bras et me laisser aller à la réponse de Gogol : « Donnez-moi des chevaux rapides comme le vent ! En selle, cocher ! tintez, grelots ! élancez-vous, mes chevaux, et emportez-moi hors de ce monde ! Plus loin, plus loin, que l'on ne voie plus rien, plus rien. Un ciel agité se déroule devant moi, une petite étoile scintille dans le lointain ; une forêt d'arbres sombres file, et la lune au-dessus ; un brouillard gris s'étend sous mes pieds ; une corde résonne dans le brouillard ; d'un côté, la mer, de l'autre, l'Italie ; voilà qu'on aperçoit même des isbas russes. Est-ce ma maison, là-bas, en bleu ? »

Ingeborg cherche ses mots et reprend :
— Tanne, tu vas tomber malade.
— Je suis déjà malade. La ferme compte sur moi. Si je partais, j'aurais l'impression d'abandonner ces êtres qui me sont chers. Ne me traite pas comme une petite fille. Je ne le supporte pas. Et n'oublie pas que je reste la baronne Blixen.

De quoi Karen essaie-t-elle de se convaincre ? En quoi un titre la protégera du désamour et de la ruine ? Quelques mois plus tôt, Bror s'est remarié avec Cockie Birkbeck, une femme au passé tumultueux. Il y a désormais deux baronnes Blixen à Nairobi. La situation de Karen devient de plus en plus délicate. Et ce n'est pas auprès de Denys que Karen trouve le réconfort dont elle a pourtant grandement besoin.

« Je commence à apercevoir le profil de ma mort », me murmure l'empereur Hadrien sous la plume de Marguerite Yourcenar. Karen s'apprête à vivre ses derniers mois en Afrique, et moi, ma décision est prise, je ne veux pas mourir.

12

Les visages des uns et des autres se détournent
sur son passage. On l'évite, on la fuit. Pourquoi
ces silences gênés ? Une chape de plomb s'abat
sur les épaules de Karen. Que se passe-t-il ?
Karen ne comprend pas. Elle voudrait se tourner
vers Farah pour l'interroger mais il ne l'a pas
accompagnée à Nairobi.

La journée est longue, Karen a beaucoup de
choses à régler. Toutes ces formalités adminis-
tratives pour faire face aux créanciers, s'efforcer
de protéger les *squatters* qui vivent sur son
domaine, comme sans doute l'aurait fait son
père. Karen se présente de bureau en bureau,
remplit des papiers et serre des mains. Elle a la
sensation qu'une ombre sinistre la suit mais elle
a des décisions à prendre et pas une minute à
perdre. Karen se prépare à vendre le domaine,
liquider la plantation, clore ses affaires. Elle
chasse ses mauvaises pensées.

Alors que Karen quitte un guichet, Kamu, un
boy qui travaille pour son amie Ingrid, se précipite vers elle. Il est essoufflé et prend quelques
secondes avant de commencer à parler.

– *Msabu*, Ingrid m'a envoyé vous chercher.

– Que se passe-t-il ?

– Venez, elle vous attend.

Et Karen comprend tout.

À peine Ingrid a-t-elle le temps de prononcer les mots « avion » et « Denys » que tout devient clair. L'avion de Denys s'est écrasé près de Voi. Il a décollé au petit matin en direction de Tsavo – Denys voulait localiser des troupeaux d'éléphants –, mais il a brusquement fait demi-tour en volant à basse altitude. Des hommes au sol ont vu son avion basculer. Denys est mort.

Dans la tête de Karen s'imprime la trajectoire d'un avion qui s'écrase et s'enflamme. Ses oreilles bourdonnent, elle perd l'équilibre.

Lorsque au terme de quatre jours passés dans la forêt, Buck se décide à redescendre dans la vallée vers John et leur campement, il pressent très vite qu'un malheur est arrivé. Cette évidence ne s'impose plus de façon mystérieuse à ses sens mais, maintenant qu'il est devenu loup, il la *comprend*, la forêt lui parle, « les oiseaux, les écureuils et même la brise le lui disent ».

« La mare, boueuse et décolorée depuis les vannes, cachait fort bien ce qu'elle contenait – et ce contenu, c'était John Thornton ; car Buck suivit ses traces jusque dans l'eau, et aucune n'en ressortait. Il savait que John Thornton était mort. Cela lui laissait un grand vide, quelque chose qui tenait de la faim, mais un vide qui ne cessait de le faire souffrir, et que ne pouvait combler aucune nourriture. »

Le lendemain de l'accident, le 15 mai 1931, Thomas reçoit un télégramme en provenance de Nairobi :

« DENYS TUÉ EN VOL LE QUATORZE – ENTERRÉ NGONG HILLS AUJOURD'HUI – TANNE. »

Karen n'a pas la force d'en dire plus. Pas même celle d'avouer à Thomas que Denys l'avait quittée quelques mois plus tôt pour Beryl Markham, une jeune femme de vingt-huit ans, grande amie de Karen. Ainsi s'était achevée leur liaison de douze ans ; encore un abandon, sans que Karen n'en dise rien dans ses lettres. Tout juste lâche-t-elle à son frère que l'enterrement a ressemblé à un jour de pluie au Danemark et qu'on voyait la lune percer le ciel.

Après, tout va très vite.

Denys meurt en mai. Vivant, il lui échappait, mort, il est enfin à elle. Au mois d'août, Karen embarque pour l'Europe. Dans l'intervalle, elle a vendu ses terres, sa maison, ses meubles, sa vaisselle, son horloge, ses vêtements. Elle n'emporte que treize malles contenant les restes de ses dix-sept années passées au Kenya. Et notamment ses verres en cristal : « Les lèvres et les mains de mes amis les avaient touchés, je n'ai pas pu m'en séparer. »

Lorsque la table et les chaises de la salle à manger sont vendues, Karen prend ses repas assise sur une caisse. Lorsqu'il ne reste plus rien, Karen confie ses animaux à ses amis les plus proches, fait ses adieux définitifs à Farah et se met en route. Direction le Danemark. Rungstedlund. La maison familiale.

13

« Il me paraît étrange d'entendre la pluie
tomber et de me dire que cela n'a plus d'importance. Je suis ici, à Rungstedlund, et pourtant une
moitié de moi est demeurée dans les Ngong. »

Les gouttes glissent sur la vitre, la lumière est
grise, il fait froid. C'est une Karen vaincue qui
revient après tant d'années dans la maison de
son enfance. Comme une petite fille punie, rentrée chez son papa et sa maman. Fière Karen
qu'on humilie. Son retour vers l'Europe a été
affreux. Sur le quai, à Marseille, mandaté par
Ingeborg qui s'inquiète de plus en plus de la
santé mentale de sa fille prodigue, il y a Thomas,
le tendre frère. Lui aussi est effrayé par la mauvaise forme de Karen. Il se raccroche à leur rêve
d'enfance et console sa sœur comme il peut :

– Tu atteindras le but que tu t'es toujours
fixé, Tanne : faire quelque chose de grandiose.
Tu verras, tu as encore beaucoup à donner.

Qui donc y croit encore ? Probablement pas
Karen en ces jours de grand chagrin.

J'habite une maison recouverte de lierre. On
la devine à peine de la rue, c'est une maison

cachée au fond d'un jardin dans laquelle moi aussi, je me terre. J'en sors le moins possible et je passe mes journées à écrire. À la fin du jour, un autre temps commence, celui des enfants et de la famille. Je prends mon autre visage, mais je ne suis pas complètement là. Si on me demande ce que je fais de ma vie, je réponds encore et toujours que j'écris une biographie de Karen Blixen. Parfois j'ajoute : enfin pas vraiment une biographie, plutôt un récit. Évidemment, cela dit tout, et cela ne veut rien dire.

Karen est épuisée. Elle essaie de mettre de l'ordre dans ses pensées, mais tout se brouille. De temps en temps, Ingeborg passe la tête dans l'entrebâillement de la porte et demande à sa fille si elle a besoin de quelque chose. Elle a finalement su trouver les mots pour la faire revenir.

— Je ne suis pas là pour te juger et je me suis toujours efforcée de te comprendre. Que veux-tu ? Je ne vais pas t'en vouloir parce que tu en demandais trop. La vie que je pouvais t'offrir ici ne correspondait pas à ta nature, ni à tes goûts. Je l'ai toujours su. Tu as vécu ce que tu avais à vivre et ta vie n'est pas finie. Rentre à la maison, reprends des forces, tu feras ensuite ce que tu as à faire. Comme tu le voudras et selon ton choix.

Mais Karen ne sait plus ce qu'elle doit faire. Les épreuves l'ont épuisée, l'énergie lui manque, elle a perdu seize kilos. L'enfant Tanne est devenue une sombre Karen. Elle a quarante-six ans et s'en veut de rentrer de cette manière au

Danemark, malade, sans argent, sans mari, sans enfant.

Cela fait des mois maintenant que j'ai mêlé ma voix à celle de Karen. J'en ai appris autant sur elle que sur la fille de onze ans qui lisait *La Ferme africaine* sous une tente. J'écris et les digues cèdent. Lentement, j'apprends à relever le regard.

Karen reste de longues semaines dans son lit à ressasser des souvenirs. Le grenier de Rungstedlund est encombré des malles qu'elle a ramenées d'Afrique, mais elle n'a pas le courage de les ouvrir, ce courage dont elle a toujours pensé qu'il était la première de ses qualités.

Un automne passe, puis un hiver. Karen ne quitte pas sa chambre, elle tient à peine debout. Viennent ensuite le printemps et l'été, Karen est toujours au lit. Karen vacille.

Elle écrit à ses boys restés là-bas. Elle envoie une machine à écrire à Abdullai, qui est maintenant entré à l'Université, et prend des nouvelles de chacun. Farah lui répond qu'elle leur manque et que, s'ils étaient des oiseaux, ils voleraient pour venir la voir. Mais Karen n'est pas avec eux et c'est en elle qu'elle doit trouver la force de s'en sortir.

Un matin de septembre, elle prévient sa mère qu'elle compte s'absenter pour une période indéterminée. Elle rassemble quelques affaires, des vêtements chauds, des livres. Elle emballe sa machine à écrire. Karen n'est pas certaine de bien comprendre ce qu'elle est en train de faire mais elle ne réfléchit pas. Elle réfléchira plus tard, elle réfléchira après.

Aéroport de Bruxelles-National. Premiers jours d'automne. Ma sœur Karen, il me reste à entreprendre l'ultime voyage vers toi.

Je prends l'avion ce matin, il fait encore nuit sur Bruxelles. Je n'ai pas l'habitude de voyager seule, je vérifie plusieurs fois si j'ai bien pris toutes mes affaires, mon passeport, de l'argent, mon ordinateur, je claque doucement la porte d'entrée pour ne pas réveiller la maison qui dort. Hier, j'ai fait les courses et rempli le réfrigérateur. Je voudrais que personne ne s'aperçoive de mon absence, j'essaie pour la dernière fois d'être ici et là-bas.

Du hublot, je regarde la côte danoise découpée comme de la dentelle, c'est très beau. L'avion descend, la ville apparaît plus nettement, les routes et les maisons se dessinent. Il y a des bateaux, aussi. La mer est présente partout. Je suis émue, je suis Denys dans son *Gipsy Moth*. Je viens d'atterrir à Copenhague.

Dans la file qui mène aux taxis, devant l'aéroport, je boutonne mon manteau et j'enroule mon écharpe. Il pleut, je suis frigorifiée. Mon sac est lourd, il glisse sans arrêt de mon épaule. Je me demande ce que je fais là. Je me demande pourquoi je suis venue jusqu'ici et derrière quoi est-ce que je cours. Il y a ce vers d'Éluard qui me trotte dans la tête. *Je me suis enfermé dans mon amour, je rêve.* Un instant, l'envie me prend de faire demi-tour, mais j'ai rendez-vous avec Karen. Ma part la plus intime m'appelle, je ne veux pas la manquer, je suis allée trop loin, je ne peux plus faire marche arrière. La portière d'un taxi s'ouvre devant moi, je m'avance et, dans un anglais sommaire, donne au chauffeur l'adresse de mon hôtel.

Skagen est le dernier port de pêche, le plus au nord du Danemark, à la pointe du Jütland. La lumière y est étonnante et fait le bonheur des peintres. Le bourg est petit, entièrement tourné vers l'océan, les dunes sont restées sauvages et, au bout d'une bande de terre que l'on nomme Grenen, la mer du Nord se mêle à la Baltique. Il y fait très froid et toujours humide. La pluie picote les joues.

Après deux jours de voyage, Karen remercie son conducteur et descend de voiture. Elle a le dos endolori. Le vent la fouette, une odeur d'iode la surprend. Elle relève son col.

Karen emménage dans le seul hôtel de la presqu'île, face à la mer, et, dès le lendemain, s'installe à sa table de travail, un petit bureau qu'elle a fait monter dans sa chambre.

Je dépose mon sac et sors pour faire le tour de la ville. Avec mon teint pâle et mes cheveux clairs, je me fonds parfaitement dans le paysage. Je ne me sens pas dépaysée non plus, au contraire, j'ai l'impression de me promener dans un coin de Flandre ou des Pays-Bas. Il y a de l'eau et des vélos partout. Je m'applique à lire mon guide, je ne sais pas très bien ce que je cherche, la statue de la *Petite Sirène* est à Shanghai pour l'Exposition universelle. Je n'aurais peut-être pas dû me confronter à la réalité. Je m'avance jusqu'au port de Nyhavn où j'embarque sur un bateau pour touristes. Copenhague vu de la mer est beaucoup plus beau, la péniche fait le tour des îles, une voix de femme enregistrée nous sert d'escorte pendant que mon voisin essaie d'engager la conversation. Il me conseille la visite du Kastellet, au nord de la ville, une citadelle du XVIIᵉ siècle, et celle du Diamant noir, un bâtiment taillé dans le verre et le granit. Je lui réponds à peine, ma gorge est nouée, je me sens immensément triste, un pan de ma vie s'achève. Demain, j'irai à Rungsted voir Karen.

Dans sa chambre de Skagen, Karen s'étire, jette un regard par la fenêtre, ferme les yeux. Ainsi, il lui a fallu accomplir tout ce chemin pour en arriver à ce moment. Elle est prête.

Les images apparaissent, une, puis deux, puis dix. L'Afrique se dessine, Karen voit ses couleurs, elle entend sa musique. Elle rejoint Farah, Lullu, Denys. Ils sont tous là, à côté d'elle. Karen se prépare à écrire le roman de sa vie.

Après un moment, elle enfonce, comme on se jette à l'eau, lentement puis de plus en plus vite, les touches de sa machine à écrire.

J'avais une ferme en Afrique. Au pied des montagnes du Ngong. La ligne de l'Équateur passait

par les montagnes à vingt-cinq milles au nord. En
milieu de journée, on avait la sensation d'être tout
près du soleil, cependant, les après-midi et les soi-
rées étaient claires et fraîches, et les nuits froides.

Le reste vient tout seul. Karen ne s'arrête plus,
les mots coulent, les phrases s'enchaînent.
Encore et encore et encore. Six mois passent.
Bientôt les pages deviennent un livre. Karen est
devenue l'auteur de *La Ferme africaine*.

J'ai pensé d'abord prendre le train pour me
rendre à Rungsted. La réceptionniste de l'hôtel
m'a indiqué le prix du billet et noté les horaires
sur un bout de papier. Elle m'a précisé aussi que,
de la gare de Rungsted, je devrai marcher encore
une vingtaine de minutes pour atteindre la
maison, devenue depuis 1991 un musée ouvert
au public. J'ai de plus en plus froid, il pleut
toujours. L'idée de dépendre d'horaires de train
me fait hésiter. À la dernière minute, je choisis
de louer une voiture. C'est pour moi une première, et la perspective de conduire dans un pays
inconnu me plaît. Je montre mon permis et mes
papiers à l'employé du bureau de location, lequel
me confie en échange les clés d'une petite voiture, une Fiat Punto.

Je vérifie une dernière fois, sur le site du *Karen
Blixen Museet*, l'adresse exacte de Rungstedlund :
Hørsholm, Rungsted Kyst, Strandvej 111. Et je
devine : côte de Rungsted, route de la plage. Je ne
sais pas encore combien la maison de Karen se
trouve tout près de la mer. Ainsi, Karen, tu as
toujours eu sous les yeux cette invitation au

voyage ? J'aurais pu le découvrir depuis longtemps, observer la maison sans quitter mon bureau, *via* Google Earth, je n'y pense que maintenant.

Je roule les phares allumés, les essuie-glaces en mouvement rapide, je ne me presse pas, je voudrais que le trajet dure des heures, je voudrais ne plus jamais être ramenée en arrière. Les pensées et les images défilent, je fais le projet de lire la suite d'*Alice au Pays des merveilles, De l'autre côté du miroir*, puisque c'est là où je vais aujourd'hui.

La veille, toujours sur le site du musée, je suis tombée sur une vidéo très courte de Karen, trente secondes au maximum. Elle y parle en anglais, assise derrière un bureau, le dos appuyé au dossier de son fauteuil. Ses yeux fixent la caméra, l'image est sombre, la voix forte, l'anglais trop élaboré pour que je le comprenne. Il apparaît nettement qu'elle s'adresse aux spectateurs, le visage plutôt souriant. Une drôle de sensation me traverse : j'ai le sentiment désagréable d'être réveillée au milieu d'un rêve. Qui est cette femme qui me parle ? À qui appartiennent ce corps et cette voix ? Je ne les reconnais pas. Je ne retrouve pas dans cette figure soudain animée ma sœur imaginaire, mon double, ma Karen. Cette femme ne lui ressemble pas : derrière l'écran, je découvre, peut-être pour la première fois, la vraie Karen Blixen.

Après une vingtaine de minutes d'autoroute, je rejoins la nationale. À ma gauche, je longe le détroit de l'Øresund et la mer Baltique, à ma droite s'alignent de grosses maisons aux larges baies vitrées, bourgeoises, probablement des résidences secondaires. La mer est grise, elle ressemble à celle que je peux voir à une heure de voiture de Bruxelles ; je me sens chez moi, il y a des brise-lames, des mouettes, le vent souffle. Je continue de m'enfoncer dans le monde de Karen.

« *Oh my god !* » sont les seuls mots qui me viennent à l'esprit quand apparaît la maison de Rungstedlund, visible en un clin d'œil du bord de la route. Je l'avais imaginée mystérieuse, perdue au fond d'un bois, cachée comme la mienne, mais elle se montre à découvert, face au port de plaisance de Rungsted. Le lieu me trouble. Il me renvoie à mon père, qui a passé sa vie à rêver de bateaux, et me rappelle nos étés en mer, les uns après les autres, excepté bien sûr celui de mes onze ans. Je repense à l'âme triste de ma mère, j'ai envie de pleurer, je ne suis pas du tout là où je pensais arriver, les mâts des voiliers se balancent et je range ma voiture sur le bas-côté de la route.

Les questions se bousculent. Pourquoi suis-je au Danemark ? Quelle sorte de mère est Ingeborg pour ramener sa fille de quarante-six ans dans la maison de son enfance ? Et puis aussi, quelle sorte de mère est-ce que je suis, moi ?

Karen est revenue à Rungsted après ses dix-sept années en Afrique parce qu'elle n'avait nul autre endroit où se réfugier. Elle est revenue ici, mais son âme est restée là-bas, et c'est dans cet entre-deux que Karen a trouvé sa place. Karen aux deux visages. Je me demande ce que veulent dire ces liens qui ne parviennent pas à se rompre.

Les séparations me font peur. Dans ma famille, elles ont chaque fois tué ceux qui sont restés. Mort symbolique, bien sûr, mais mort quand même. J'aurais voulu faire comme Karen à Rungstedlund, je comprends que ce n'est pas possible. Le moment est venu pour moi aussi de me défaire de mes peurs.

Je m'avance sur le chemin de gravier qui mène à la maison. Côté pile, Rungstedlund regarde la mer, côté face, elle cache un vaste jardin qui débouche sur un petit bois.

La maison est divisée en deux parties. L'aile ouest a été transformée en musée. Je m'y promène. J'observe les vitrines où s'accumulent des lettres, des photos, des objets personnels des Dinesen, et notamment un exemplaire des *Lettres de chasse* dédicacé par Wilhelm. Je traduis du danois, très approximativement : « Pour ma chère petite Karen Christentze. De ton père. Rungsted, mai 1892 ». Et calcule : Karen a sept ans. Puis je m'arrête devant un portrait de Denys, encore très jeune, qui doit dater d'une dizaine d'années avant sa première soirée à Mbogani. Son visage est délicat, presque trop gracile, à mille lieux de celui de Robert Redford dans *Out of Africa*. Il m'amuse, mais c'est un cliché de Karen assise à sa table de travail, son chien à côté d'elle, le museau posé sur le bureau, qui me retient. Je les regarde et dis bonjour à Dusk. Ses oreilles se dressent, nous nous sommes compris. Les vitrines me sont familières, je reconnais pratiquement tous les documents présentés pour les avoir vus dans des livres, hormis ce cliché de Wilhelm sur le perron de la maison, et un autre de Karen et de sa mère, au lendemain de la publication de *La Ferme africaine*. Karen irradie. Sur aucune autre photographie, je ne l'ai vue aussi belle. Enfin elle a été reconnue pour ce qu'elle était. Je descends à la boutique du musée. On peut y acheter du café kenyan et des cartes postales, notamment celle qui immortalise un dîner entre Karen, Arthur Miller, Carson McCullers et Marilyn Monroe. La légende se construit, je m'éloigne de mon âme sœur.

Lorsque je visitai Mbogani, durant des vacances scolaires, j'étais avec mes filles. Nous rentrions du Masaï-Mara et avions encore quelques heures devant nous avant de reprendre notre vol pour Bruxelles. Des émeutes déchiraient alors le pays suite aux élections présidentielles. Le président sortant, Mwai Kibaki, s'était déclaré vainqueur du scrutin, ce qu'avait aussitôt contesté son opposant, Raila Odinga. On parlait d'une fraude portant sur trois cent mille voix, la capitale s'était enflammée, des scènes de violence avaient été diffusées dans les journaux télévisés belge et français si bien que ma famille et des amis m'avaient appelée, affolés, et je dus insister auprès de notre guide pour qu'il acceptât de faire une halte au *Karen Blixen Museum* de Nairobi, dans la banlieue chic de la ville, sur la Karen Road.

Nous avons fait le tour des lieux, j'étais au tout début de mon projet d'écriture, je voulais creuser dans cette direction, mais l'ensemble n'était encore qu'une vague intuition. Nous parcourions les pièces, nous arrêtant ici ou là, le guide nous attendait en regardant sa montre. Avant de rejoindre la véranda, je me souviens d'avoir dit à mes filles, en face d'une photographie en noir et blanc d'une Karen au visage ravagé, que décidément il en coûtait aux artistes de s'engager sur le chemin de la création.

Le temps a passé, je feuillette la brochure qu'alors j'avais achetée, je revois des photos de la maison, je retrouve la terrasse, la chambre de Karen, celle de Bror, qui devint ensuite celle de Denys, la table de travail avec la machine à écrire. Je repense à ce moment où, les yeux fixés sur la peau de léopard étendue au pied du lit de Karen, je compris que j'allais enfin écrire mon livre.

L'aile nord de Rungstedlund a été conservée dans l'état et la disposition où elle était du vivant de ses habitants. Je traverse le vestibule et découvre le salon vert, puis la salle à manger, le séjour, enfin le bureau, au bout de la maison, à l'extrémité la plus proche de la mer, avec l'ailleurs sous les yeux, jour après jour. Les pièces ressemblent à celles de Mbogani. Mêmes meubles, mêmes tableaux, même atmosphère. C'est bien la même personne qui a vécu là et ici. Je découvre un coffre de voyage africain offert par Farah et, près de la cheminée, le paravent que Karen a souvent décrit. La maison est silencieuse, les visiteurs peu nombreux. J'arpente dix fois de suite les trois mêmes pièces, l'employée du musée me regarde, intriguée, je sens bien que je reste plus longtemps que ce à quoi elle est habituée. Elle finit par me demander gentiment si elle peut me renseigner, mais non, je n'ai pas de questions à lui poser. Je m'attarde encore, je ne sais pourquoi, j'attends une révélation qui ne vient pas. Il est seize heures moins dix, le musée va fermer dans quelques minutes.

Dehors, retour du froid. Il fait encore clair et toujours gris, je m'enfonce dans le bois. Sur les arbres, de nombreux nichoirs sont accrochés aux troncs : à la demande de Karen, le domaine est devenu après sa mort une réserve naturelle d'oiseaux. À quelques mètres en contrebas, je me prends en photo, l'appareil à bout de bras, j'essaie de me cadrer avec la maison en arrière-plan : mon visage ne ressemble plus à celui de mes photographies bruxelloises.

Je parcours les sentiers, Tango me manque, je m'étonne de ne pas le voir courir à côté de moi, je pense à ma vie et à ce livre que j'écris. Au détour d'une allée, j'aperçois la tombe de Karen. Elle repose donc ici, sous un arbre, l'endroit s'appelle la butte d'Ewald, du nom d'un poète danois du XVIIIe siècle, ancien habitant de Rungsted. Je ne le savais pas. Je m'arrête quelques instants. Il est curieux d'être enterré dans le lieu où l'on est né. Je me demande où se trouve la tombe d'Ingeborg, et je pense à ma mère qui, malgré cette terrible scène de mon enfance, n'est pas morte. Cela m'aide à accepter l'idée que Karen va rester à Rungstedlund, et que moi je continuerai ma route.

La journée se termine, mon livre aussi, je suis arrivée au bout de mon voyage, seule dans ce bourg improbable. Au terme de l'aventure, ce n'est pas Karen que je trouve mais bien moi. Je me sens très fatiguée. J'énumère pour la énième fois les étapes de ma traversée : j'ai parlé de Karen, de Bror et de Denys, de mes chiens, de ma mère, de mes filles. J'ai parlé d'Aragon, j'ai parlé de Buck, j'ai parlé d'écriture. J'ai parlé de ma difficulté à vivre. Et de mon amour, et de mon mariage, et du café, et de l'Afrique. Je m'assois sur un banc, je crois que je tremble un peu. Si je sors de ce bois, ce sera nue mais débarrassée de la triche. Je me dis que c'est un bon départ et que je dois me faire confiance. Juste avant de rejoindre ma voiture, j'aperçois une silhouette à la fenêtre du bureau de Karen. J'imagine que c'est elle, nous nous regardons, j'esquisse un geste de la main, un bref sourire, puis je m'éloigne. Ne plus se retourner, oser le grand saut.

À mon tour maintenant.

ACHEVÉ   D'IMPRIMER
EN   SEPTEMBRE   2011
SUR LES PRESSES DE
CORLET   IMPRIMEUR
À CONDÉ-SUR-NOIREAU
C   A   L   V   A   D   O   S

Numéro   d'édition :   953
Numéro d'impression : 141389
Dépôt légal : octobre 2011
Imprimé   en   France